幼儿学习环境评量表

Early Childhood Environment Rating Scale

-Curricular Extension to ECERS-R

(ECERS-E)

课程 增 订 本

作者： Kathy Sylva

Iram Siraj-Blatchford

Brenda Taggart

译者： 李 娟　肖湘宁

华东师范大学出版社
·上海·

PECERA
Hong Kong

图书在版编目(CIP)数据

幼儿学习环境评量表:课程增订本/(英)西尔瓦等著;
李娟,肖湘宁译. —上海:华东师范大学出版社,2014.12
ISBN 978 - 7 - 5675 - 2887 - 1

Ⅰ.①幼…　Ⅱ.①西…②李…③肖…　Ⅲ.①幼儿园—
教学环境—评定量表　Ⅳ.①G617

中国版本图书馆 CIP 数据核字(2014)第 307524 号

幼儿学习环境评量表(课程增订本)

作　　者	凯茜·西尔瓦(Kathy Sylva)
	艾兰·斯冉杰-布拉奇福德(Iram Siraj-Blatchford)
	布伦达·塔格特(Brenda Taggart)
译　　者	李　娟　肖湘宁
项目编辑	彭呈军
审读编辑	周晴云
责任校对	时东明
装帧设计	崔　楚

出版发行	华东师范大学出版社
社　　址	上海市中山北路 3663 号　邮编 200062
网　　址	www.ecnupress.com.cn
电　　话	021 - 60821666　行政传真 021 - 62572105
客服电话	021 - 62865537　门市(邮购)电话 021 - 62869887
地　　址	上海市中山北路 3663 号华东师范大学校内先锋路口
网　　店	http://hdsdcbs.tmall.com

印 刷 者	苏州市工业园区美柯乐制版印务有限责任公司
开　　本	787×1092　16 开
印　　张	6.25
字　　数	34 千字
版　　次	2015 年 10 月第 1 版
印　　次	2023 年 11 月第 11 次
书　　号	ISBN 978 - 7 - 5675 - 2887 - 1/G·7809
定　　价	19.00 元

出 版 人　王　焰

目　录

原增订版序

幼儿学习环境评量表的作者们非常欢迎 ECERS－E 课程增订版来到 ECERS－R 修订版这个大家庭。在美国出版 ECERS－E 会使我们国内及海外地区取用这个有价值的 ECERS－R 增订版本变得更为方便。

简略说明 ECERS－E 为何以及如何产生,将有助于我们理解它与 ECERS－R 的关系。ECERS－E 不是要替代 ECERS－R,而是对 ECERS－R 中的几个评量项目进行扩充。英国负责开发 ECERS－E 的研究团队在"学前教育的有效性"(EPPE)研究项目中使用 ECERS－R。EPPE 的目的是要鉴定学前教育机构/幼儿园为帮助儿童成功适应小学阶段所采取的教学法。英国研究团队意识到非常重要的一点,就是随着入学准备的日受重视,我们必须确保用于促进儿童读写能力、数学能力和科学能力的教学方法,能抗衡过于刻板和学术化的趋势。

ECERS－E 的作者们意识到高品质的早期儿童教育环境可以为学前儿童提供切合发展的活动来传授基本技能,为他们日后的学习做好准备,所以在原作者同意下把 ECERS－R 中的一些项目扩展为完整的子量表作为补充,与 ECERS－R 一同使用,故命名为 ECERS－E。扩展为子量表的包括语言推理、数学/数字、自然/科学和促进接受多元性等项目。

经过各种研究和改进之后,ECERS－E 现已作出修订,加以完善。1997—2003 年,ECERS－E 在英国的 EPPE 项目中与 ECERS－R 一同使用。2003 年作为研究版在英国出版,随后于 2006 年修订再版。目前的 2010 年版由师范学院出版,命名为《ECERS－E: 幼儿学习环境评量表 (ECERS－R) 的扩展——四个课程子量表》。这个版本做了进一步的修改和扩充,使美国和其他国家使用起来更为容易。

ECERS－E 的作者们在英国进行研究和项目改进时,仍将这套评量工具与 ECERS－R 一起使用。ECERS－R 能够就课程品质提供一个更全球化的、更全面的评估。美国和其他国家早期儿童教育界的专家们也认为,ECERS－E 和 ECERS－R 的联合使用能更有效地评估课程对儿童三项基本需求的满足程度。这三项基本需求是:健康与安全保障、社会化/情绪发展的支援和指导,以及激发语言和认知发展的适当活动。我们希望这两套相关评量工具的使用将继续促进教育机构为全球的幼儿提供有趣且有效的学习环境。

希尔玛·哈姆斯博士
《幼儿学习环境评量表(修订版)》主笔
美国北卡罗来纳大学教堂山分校,2010

序

自 20 世纪 70 年代以来，中国的经济成长，在全球创造了自英国工业革命以来的一个奇迹。展望未来百年，这个以中文为共通语的国家，将会是推动世界经济与社会发展的重要引擎。全球社会未来的质素，以至全球人与人、人与自然能否和谐共处，在相当大的程度上，将取决于这个拥有全球五分之一人口的中文国家的人文素质。而这个国家的人文素质，除了奠基于整体的人口教育外，亦要视乎其幼儿教育的品质水平。众所周知，幼儿期乃重要的学习和发展阶段，是奠定儿童日后学习基础的黄金时期，随着社会的进步，很多先进国家已日益重视幼儿教育的发展，并为此投放更多资源。

ECERS 系列评量表的面世，对促进幼儿教育的发展有莫大裨益。ECERS 系列评量表，能有效地将环境品质概念转化成具体可观察的评量架构，提供了一套统一标准，让教学及研究单位评定幼儿园的教学环境的品质，成功地打通了学者、辅导者与教师三方之间对幼教品质的沟通门径；也对关心幼儿成长的家长——幼儿成长的天然持份者，有一个权威的实质参考。

ECERS 系列评量表已被广泛应用了十多年，自发表以来，先后翻译成意大利文、德文、葡萄牙文、西班牙文及冰岛文等多种语言，在世界各国得到广泛应用；它亦是欧洲最大的纵贯性研究，透过追踪 3 000 名 3 岁至 16 岁儿童，以了解学前教育的成效，具有良好的信度和效度。

香港太平洋区幼儿教育研究学会成功取得 ECERS 系列评量表在全球的中文版(繁、简体字)翻译权及出版权，借以推动中文社会的幼儿教育环境品质评估达致国际标准，实在让人鼓舞。ECERS 系列评量表，亦是一套很有效的自我评价和自我发展的工具，其涵盖范围相当广泛，分项仔细，能让幼儿教育工作者根据相关标准，不断自我完善，促进幼儿教育的自我品质提高。

ECERS 系列评量表源自西方的先进国家，对东方社会来说，或许会有一些文化与社会的差异，尤其中国人口众多，各地自然条件和社会经济等差异相当大，我们可依据社会环境的实际情况，对 ECERS 评量表作出微调及修订。期望在幼教学者、专家、教师、关心幼儿成长的家长及其他关心幼儿的人士的齐心协力下，华语社会的幼儿教育水平得以继续提高，为全人类素质的提升作出贡献。

陈保琼博士
太平洋区幼儿教育研究学会会长
太平洋区幼儿教育研究学会(香港)创会主席

序

在涉及学前教育的话题时，人们关注最甚的问题莫过于学前教育的品质，包括品质标准和品质监控等问题，换言之，人们最关注的是如何为社会、家庭和儿童提供优质的学前教育。

对学前教育品质的关注，必然涉及评价，评价的依据是有某些价值体系支撑下的品质标准，评价的过程需要工具和方法，评价的结果能被用于调整与改进教育。

早在 20 世纪 80 年代，我就在美国见到过许多幼儿教育机构将《幼儿学习环境评量表》(ECERS)用作品质评价的工具；90年代末，该量表经由修订，其影响力更大，应用范围更广。

在我国，对幼儿园教育品质评价的研究起步较晚，也不很成熟，幼儿园品质评价尚缺乏效度和信度，这样的状况不利于幼儿园教育品质的改进和提升。数年前，太平洋区幼儿教育研究学会(PECERA)主席陈保琼博士与我谈及她愿意在中国内地和香港同时引进《幼儿学习环境评量表(修订版)》(ECERS-R)、《幼儿学习环境评量表(课程增订本)》(ECERS-E)和《婴儿学习环境评量表(修订版)》(ITERS-R)，并译成中文出版，我给予了积极的回应，并欣然答应协助联系在内地的出版事宜。在我看来，这三本在国际范围内具有影响力的书的出版是非常有价值的，它们能为中国的幼儿教育研究者、实践者和评估者提供可以参考和运用的品质评价工具。

ECERS-R、ECERS-E 和 ITERS-R 的制定和修订经由了一个漫长的过程，这是一个基于研究的过程，是一个经过实践检验的过程，具有很高的效度和信度。它们的操作性较强，容易使用，不仅可用于外部评价和研究，也可用于幼儿园园长和教师进行自我评价。一些跨文化的研究曾报告，这些量表并没有因为文化差异而影响其效度和信度。在中国内地和香港地区，有一些学者已经或者正在参照这些量表进行他们的研究。当然，在借鉴和运用这些评价量表时有可能会因为文化、地域、经济、条件等而产生一些新的问题，但是这并不影响它们所具有的价值。

如今，ECERS-R、ECERS-E 和 ITERS-R 的中文版将在中国内地和香港正式出版。我期望中国内地和香港的幼儿教育工作者都能从陈保琼博士的慧眼和工作中受到裨益，对于提升幼儿教育的品质作出贡献。

朱家雄

华东师范大学终身教授
PECERA 中国地区主席
中国教育学会学术委员、常务理事

序

承蒙香港耀中教育机构校监、太平洋区幼儿教育研究学会(香港)主席陈保琼博士的信任,邀请我为《幼儿学习环境评量表》系列出版品的中译本作序。

当前,我国的幼儿教育得到了全社会和政府前所未有的高度重视和财政支持,幼儿园的建设与幼儿入园率快速增长,创下了历史最高数据。但是,人们对高质量幼儿教育的需求却处在"饥渴"状态。数以亿计的家庭、数以百万计的幼儿园都在追求高质量的幼儿教育,然而,对什么是"高质量"却产生了极为混乱的认识,并由此产生出种种错误的教育方法,甚至有些做法很令人担忧。

2001年《幼儿园教育指导纲要(试行)》的颁布引领了教育观念的更新和实践层面改革的探索。随着改革的深入,如何在教育过程中具体满足幼儿个性化发展需求,如何创设一个适宜的教育环境,如何与儿童有效地互动等深层次的专业挑战,使很多教师甚至理论工作者感到茫然。综观问题所在,我们发现,只有宏观层面正确的教育观念,没有微观层面具体的教育措施、评价指标、评价与改进的方法等,就不可能将正确的观念落实在具体的教育之中。因此,我们急需能在实践层面研究和指导改善教育品质的工具。

处在这样一个阶段,太平洋区幼儿教育研究学会与美国哥伦比亚大学师范学院出版社签约,取得了《幼儿学习环境评量表》系列在全球的中文版的翻译权及出版权,并将分别在中国内地及香港出版《幼儿学习环境评量表》,即ECERS(*Early Childhood Environment Rating Scale*)系列评量表的简体版及繁体版。ECERS系列评量表包括:ECERS-E 幼儿学习环境评量表(课程增订本,2010);ECERS-R 幼儿学习环境评量表(修订版,2005);ITERS-R 婴儿学习环境评量表(修订版,2006)。

ECERS-R是美国北卡罗来纳大学弗兰克·波特·格雷厄姆(Frank Porter Graham,简称FPG)儿童发展研究所的希尔玛·哈姆斯教授(Thelma Harms)等人研发的,1980年出版第一版,1998年出版修订版,即ECERS-R(*Early Childhood Environment Rating Scale — Revised*)。该量表的主要目的是评估幼儿学习环境的品质。ECERS-R由7个子量表共470个评价指标组成。7个子量表分别是空间和设施(Space and Furnishings)、个人生活常规(Personal Care Routines)、语言—推理(Language-Reasoning)、活动(Activities)、互动(Interactions)、机构活动的结构(Program Structure)、家长和教师(Parents and Staff)。已有研究表明,ECERS-R具有良好的信度和效度,而且它的信度和效度没有因为文化差异而受到影响。美国几乎所有全国规模的幼儿研究课题都采用ECERS-R作为研究工具。在良好的信度和效度的保障下,《幼儿学习环境评量表》自发表以来,先后被翻译成意大利、德国、葡萄牙、西班牙等国文字，在世界各国得到广泛应用。中文版的 ECERS－R 也于 2006 年在中国台湾地区出版。

ECERS－E，即《幼儿学习环境评量表（课程增订本）》，是由牛津大学的 Kathy Sylva 教授、伦敦大学教育研究所的 Iram Siraj-Blatchford 教授及伦敦大学教育研究所的 Brenda Taggart 教授于 2003 年出版的品质评估工具。ECERS－E 最初是为了在英国进行的国家级研究项目"提供有效学前教育"而设计出来的。该项目是欧洲的最大纵贯性研究，通过追踪 3 000 名 3 岁至 16 岁儿童以了解学前教育的成效。同时，ECERS－E 也旨在补充著名的《幼儿学习环境评量表（修订版）》（ECERS－R）。ECERS－E 特别着重于"读写能力"、"数学"和"科学与环境"及幼儿教室布置的"多样性"等的核心课程领域。因此，该工具可用作评估课程内容的质素，包括教学法及旨在促进幼儿认知发展的领域。英国进行的国家级研究项目"提供有效学前教育"（EPPE）发现，ECERS－E 的评分可以预测儿童在学术上取得的进展（例如：语言和读写能力、算术能力、非语言的推理能力）。目前英国很多政府部门利用 ECERS－E 来改善托儿所和幼儿学校的水平。

ITERS－R（婴儿学习环境评量表）是根据 ECERS－R 修订的，保留了原有的 7 个子量表，包括空间和设施、活动、互动、机构活动的结构等方面，作为评估婴幼儿从出生至 30 个月（2.5 岁）的评量表。

各套量表指标的背后是大量的研究和海量文献的支持，对指标和计分的注释，以及品质的评级都是针对教学法、教学资源、课程和环境而设置的，深度涉及幼儿园课程、教学、评价的诸方面，它不仅提出指标，更提供了方法；不仅是教育测量的工具，更是研究和指导改善教育品质的工具。我相信，这本书在中国内地的出版必将对当前幼儿教育的改革，特别是如何获得高品质的幼儿教育，发挥专业引领的积极作用，必将成为广大幼教工作者的良师益友。

最后，我想应衷心感谢太平洋区幼儿教育研究学会和陈保琼博士，她为本书在大陆和香港的出版做出了极大的努力，不仅成功地争取到翻译权和出版权，还组织了出色的翻译工作，使本书以极高的专业水准、流畅而准确的文字、通俗而亲切的文风面世。衷心感谢华东师范大学出版社积极地承接，并高质量地完成了本书的编辑和出版工作。

朱慕菊
国家基础教育课程教材专家工作委员会秘书长

鸣谢（原增订版）

很多人曾为这套评量工具的开发和测试作出贡献，我们在较早的版本中已向他们致谢。这个版本的出版，我们要感谢 A＋教育有限公司的 Sandra Mathers 和 Faye Linskey（参看 www.aplus-education.co.uk）。她们与咨询组织及教育机构合办培训课程，又协助英国地方当局使用 ECERS 来量度和改进教育品质，已经成为评量表的专家。她们的专长使我们受益匪浅。我们参照她们的意见补充注释，使之更为清晰。方法是通过数以百计的实地考察，听取那些每天与幼儿在一起的工作者的观点。Sandra 和 Faye 既有研究经验又有实践知识。她们还会筹备 *All About the ECERS － E* 一书的出版，继续参与评量表的有关事宜。对她们的一丝不苟、仔细关注的工作态度，我们深表感谢。

Kathy Sylva, Iram Siraj-Blatchford 和
Brenda Taggart

2010 年 8 月

EPPE 研究项目的主要调查人员

Kathy Sylva 教授

牛津大学教育系

Edward Melhuish 教授

伦敦大学柏贝克学院，儿童、家庭及社会问题研究中心

Pam Sammons 教授

牛津大学教育系

Iram Siraj-Blatchford 教授

伦敦大学教育研究所

Brenda Taggart

伦敦大学教育研究所

鸣谢（中文版）

《幼儿学习环境评量表》系列（Early Childhood Environment Rating Scale），简称 ECERS 系列，是一套具国际标准、拥有高效度和信度的幼儿教育水平量度工具。评量表自发表以来，已翻译成多国语言，在世界上 20 多个国家广为应用。

ECERS 系列量度的指标涵盖幼儿学习环境设施、教师素质、课程设计、学校行政以及家校合作等多个领域，内容广泛，分项细致，是幼儿教育工作者用以检核、力求自我完善，使幼教素质不断攀升的良好工具。太平洋区幼儿教育研究学会（香港）主席陈保琼博士有鉴于此，遂建议将之翻译成中文版本，广传给世界各地华人社会，供从事幼儿教育的人士及家长参考，借以获取滋养，并让华人社会的幼教环境素质持续完善，提升至国际水平。翻译工作在太平洋区幼儿教育研究学会（香港）取得 ECERS 系列评量表的全球中文版（繁、简字体）翻译权和出版权后随即展开。

《幼儿学习环境评量表》涵盖多个系列。翻译小组拣选了其中三个系列翻译成中文，包括：《幼儿学习环境评量表（课程增订本，2010）》，简称 ECERS－E；《幼儿学习环境评量表（修订版，2005）》，简称 ECERS－R；《婴儿学习环境评量表（修订版，2006）》，简称 ITERS－R。ECERS 系列评量表中文翻译版得以付梓，端赖下列团队与人士付出的努力，在此致以衷诚感谢：

感谢

太平洋区幼儿教育研究学会（香港）主席陈保琼博士，致力于与ECERS 系列评量表的原作者、幼教界专家及出版社紧密联系，成功取得全球中文版的翻译权和出版权。

陈丽生博士，主持 ECERS 系列评量表培训研习课程，领导学员实地观察、访谈和讨论。让学员对优质教育和评分概念有更清晰的认识，并透过问卷获取意见，作为日后从事编译和研究工作的准备。

秘书李贝儿女士与太平洋区幼儿教育研究学会（香港）办事处的同事不厌繁琐，负责统筹、联系、协调和辅助一切文书工作，使整个编辑工作能顺利完成。

香港基督教服务处、香港圣公会福利协会、基督教香港信义会、东华三院、香港明爱、耀中教育机构等机构辖下幼儿教育单位同事全力支持，提供实地观察场地，参与研习，并回应问卷及给予建设性的意见。

感谢

张礼六女士将已选取的部分中文译本再反译成英文。许娜娜博士、陈颖怡女士、温玉婷女士、周朗羚女士、陈宛彤女士校阅中、英文译稿，以对应中文译本的准确度。

感谢林茵茵博士、张文智先生、袁淑萍女士和他们的团队为译本精心设计符合主题的精美封面。

深切感谢编辑组同事：总编辑梁后养先生，以简明通畅的文字翻译、修润和校对 ECERS 整套系列的文字。编辑小组成员，李丽云博士、黄佩丽女士、陈江小慧女士、陈刘燕琼女士、刘有莲女士、梁志坚女士在百忙中提供宝贵意见，积极参与义务翻译和校对工作。

期待华语社会的幼儿教育素质在 ECERS 系列的启迪下，在自我完善的旅途中不断跃进。

朱邓丽娟

太平洋区幼儿教育研究学会(香港)
《幼儿学习环境评量表》系列编辑小组

《幼儿学习环境评量表（课程增订本）》(ECERS - E)简介

最初的幼儿学习环境评量表是由美国北卡罗来纳大学教堂山分校弗兰克·波特·格雷厄姆儿童发展研究所(Frank Porter Graham Child Development Institute)的 Thelma Harms、Dick Clifford 和 Debby Cryer 开发的。这个 ECERS - R 的课程增订版，又称 ECERS - E，附属于一个评量表的"大家庭"。这些量表评估 0—12 岁儿童的教育品质。这个"大家庭"的成员包括：

- 《婴儿学习环境评量表(修订版)》(ITERS - R)，用来评量从出生到 2 岁半儿童的小组活动(Harms, Clifford & Cryer, 2005)。
- 《幼儿学习环境评量表(修订版)》(ECERS - R)，用来评量儿童中心为 2 岁半到 5 岁幼儿提供的教育(Harms, Clifford & Cryer, 2005)。
- 《学龄儿童照顾环境评量表》(SACERS)，用来评量 5—12 岁儿童的小组照顾(Harms, Jacobs & White, 1996)。
- 《家庭儿童照顾环境评量表(修订版)》(FCCERS - R)，用来评量服务者在家中提供的儿童照顾活动。照顾的儿童包括婴儿至学龄儿童(Harms, Cryer & Clifford, 2007)。

有关 ERS 的详细资料，请浏览：www.fpg.unc.edu/～ECERS/.

作为一套研究、自我评量、审计和检查的工具，美国的 ECERS - R 备受推崇。在美国，它被广泛用于全州范围的审计，借以监督教育机构的品质，此外还被用于培训幼儿教育的工作者。它拥有崇高的国际声誉，从新加坡到智利的 20 多个国家都曾加以采用，已被翻译并广泛使用于德国(Tietze 等，1996)和英国(Sylva 等，1999)。在印度(Ilsley, 2000)和中国(Yan Yan & Yuejuan, 2008)，研究者们以 ECERS - R 为范本，设计出另一适合当地环境和习惯的评量体系，这与美国当初开发 ECERS - R 时的幼儿教育环境大不相同。

所有使用过 ECERS - R 和新接触这两套量表的人都会发觉：ECERS - E 是这系列评量表的必要补充。这在美国的情况下尤其如此，因为美国越来越重视培养幼儿良好的早期读写和数学能力。ECERS - R 与 ECERS - E 并用使美国的使用者们更加全面完整地了解一个高品质的早期儿童教育(ECE)课程可以是什么样子的。美国对早期读写和数学的重视，以及对早期科学、环境学习和全纳教育的关注与日俱增，这直接与 ECERS - E 的课程评量有关。美国目前的幼儿教育课程与第四版 ECERS - E 中的内容非常吻合。另外，美国同业对教学计划这个部分将会特别感到兴趣。虽然大多数美国教育机构已经公布每天/每周的活动时间表(主要为了家长)，但 ECERS - E 却提供了一个契机，促使机构以更深入的方法制定活动计划。这个方法以个别儿童为中心，因此对希望在这方面的实践有所提高的美国幼儿教育工作者来说将会相当有吸引力。

《ECERS：E：幼儿学习环境评量表(ECERS - R)的扩展——四个课程子量表》最初由英国一个非常著名的研究项目"提供有效学前教育"(EPPE)开发。这项追踪研究由英国政府资助(参看：http://eppe.ioe.ac.uk)，时间为 1997 年至 2003 年，成果准备供英国使用。它需要一些量度学前教育素质的工具，工具既须符合研究的严谨要求，又要获得业界人士的信任。采用 ECERS - R 是没有争议的，但是 EPPE 团队需要把它扩展，使之更切合英国幼儿教育日益发展的框架。ECERS - R 是 1980 年代广泛地依据"切合儿童发展的教育"(DAP)的观点发展出来的。其评量促进儿童读写、数学和科学思维能力的教育品质犹如蜻蜓点水，对于促进理解多元文化和多元智慧的教育环境的评量也嫌不够深入。ECERS－E设法依照《英国基础阶段课程指引》（资格认证及课程署[QCA]2000）来补充ECERS－R，同时改变"切合儿童发展的教育"的主张，特别因为这些主张与读写能力、数学能力、科学思维和多元性的萌发息息相关。自研发以来，ECERS－E便在英国、美国以及其他地区与ECERS－R密不可分。这两套量表相辅相成，只略有重叠。

ECERS－E就以下几个范畴评量为3—5岁儿童提供的课程和环境：

● 读写能力
● 数学
● 科学/环境
● 多元性（种族、性别和个别学习需要）

子量表中的项目评量几个领域的课程品质，包括教学方法。这些领域以促进儿童学业发展为宗旨（Sammons等，2002）。

EPPE追踪了大约3 000名3—16岁儿童的进度和发展（见Sylva等，2004，2010），将有关资料加以分析，结果显示若分别以ECERS－E及ECERS－R评量同一机构，前者能更好地预测儿童（3—5岁）的智力和语言发展。ECERS－R的总分与两年间的认知发展没有关联，但其"社会互动"子量表的分数倒是与儿童独立性和合作性的增长呈正比关系。

在学业发展方面，ECERS－E的分数与儿童的语言、非言语推理、数学能力和读前技能的进展有一定关系。我们认为品质不是一个四海皆准的概念，很大程度上它取决于国家优先考虑的事项。如果从入学开始便重视学业成绩，ECERS－E会是预测儿童是否已经做好入学准备的好工具。但如果重视的是儿童的社会性发展，那么ECERS－R中的"社会互动"量表会在预测他们的入学准备方面更胜一筹。然而，我们认为两者都非常重要，所以建议两套量表一起使用。当我们采用ECERS来考察不同课程框架的品质时，这一点尤为重要。我们建议进行较全面的教育品质评量时并用ECERS－E和ECERS－R。熟悉ECERS－R的美国教育机构会觉得ECERS－E是一套直观而且好用的工具。它有助于营造丰富的学习环境，使儿童在其中茁壮成长，尤其是在知识的领域方面。

在英国，一个名为教育标准办公室（The Office for Standards in Education，简称Ofsted）的监管机构定期视察所有幼儿教育中心。这是一个全国性的机构，拥有法定权力视察和报告各类儿童教育中心的情况（包括机构式及家庭式儿童照顾服务、幼儿中心、学校等）。Ofsted负责众多事务的水准。它监管卫生和安全标准，也保证课程的教育内容。美国没有相等的全国性监管机构，因为视察由州负责。但许多个别的州际视察安排，其责任范围与一般的英美视察工作并无二致（例如：安全、就学机会等）。

在英国，早期儿童教育中心定期接受检查，且在检查之前需要完成一份文件。在检查的过程中，文件会用来决定教育中心的品质。教育中心为Ofsted的检查作出准备，它们的经理和职员发现ECERS－R和ECERS－E对填写文件中"自我评价表"（Self Assessment Form，简称SEF，参看：Office for Standards in Education [Ofsted]，2008）这个部分非常有用。表格要求教育中心反思它们为儿童学习所提供的支援。虽然这"自我评量表格"具有英国的独特背景，但是美国和其他地区对评量表的内容也会产生共鸣。任何国家的幼儿教育机构都会希望就英国"自我评量表格"的纲目反思其支援儿童的成效。下列纲领是从英国"自我评量表格"中抽取出来的。你的教育中心在这些方面成绩如何？

儿童早期学习与发展

- 在与儿童的互动中促进学习
- 规划学习环境以帮助儿童朝着早期学习的目标前进
- 设计游戏活动时，在成人主导和儿童主导之间保持平衡，以帮助儿童学习批判性思维，成为积极及有创造性的学生
- 针对儿童的个别需要制定计划

早期儿童福利
- 帮助儿童为将来发展技能
- 机构的自我评量是否有效，包括促进改善的具体步骤

幼儿教育的总体有效性
- 机构如何持续改善？

我们鼓励各国所有使用 ECERS－R 和 ECERS－E 的教育中心对上面的清单作出反思。相信以上提出的大范围对所有参与自我评量者来说都是有关宏旨的。

过去十年来，ECERS－R 和 ECERS－E 作为评量教育品质的可信赖工具在英国的研究中被广泛使用。美国北卡罗来纳大学教堂山分校弗兰克·波特·格雷厄姆儿童发展研究所的成员以及其他一些国家(例如中国、澳大利亚、希腊、葡萄牙)也都加以采用。在英国，以下知名的研究项目(还有一些较小型的研究)都用上它们：

北爱尔兰的学前教育有效性
(The Effective Pre-school Provision in Northern Ireland)
www.deni.gov.uk/researchreport41-2.pdf

千禧世代研究
(The Millennium Cohort Study)
www.cls.ioe.ac.uk/studies.asp?section＝000100020001

全国社区托儿所评估
(The National Evaluation of the Neighborhood Nurseries Initiative)
www.dfe.gov.uk/research/data/uploadfiles/SSU2007FR024.pdf

"稳步开始"计划的全国性评估
(The National Evaluation of Sure Start)
www.ness.bbk.ac.uk/

威尔士基础阶段计划实施成效的监察和评估
(The Monitoring and Evaluation of the Effective Implementation of the Foundation Phase Project Across Wales)
www.327matter.org/Docs/meeifp.pdf

2 岁儿童教育先导计划评估
(Evaluation of the Early Education Pilot for Two-Year-Old Children, 2006－2009)
www.dfe.gov.uk/research/data/uploadfiles/DCSF-RR134.pdf

大学毕业生领袖基金评估
(Evaluation of the Graduate Leader Fund 2007－2011)
http://www.education.ox.ac.uk/research/resgroup/fell/cfellrp.php

评估幼儿教育"基础"课程的措施

很多不同的课程都适用于幼儿教育机构。它们全都建基于各种儿童发展模式，以及文化与社会（通过家庭、儿童教育或照顾组织和社区）塑造儿童成长的方式。有些课程有非常明确的理论基础（例如"高瞻课程"、"创意课程"、"思维工具"），另外一些则立足于以实践为基础的儿童发展模式，以及培育儿童发展的文化和方法。ECERS－E 的开发与任何课程无关；评量背后的原则源于儿童心理学，以及社会、文化和教育实践。ECERS－E 的作者们拥有心理学、社会学和幼儿教育的背景——设计项目和指标时便借助了这三门学科。数以百计的英美实践者和社会科学家为量表的制定作出了贡献（使增订版尤其切合美国的情况）。

在英国，我们运用 ECERS－R 进行研究（Harms 等，2005）有丰富的经验，确信它用来概括地评量（以 7 个评量等级）小组教育及照顾机构是可靠的。但是，英国于 1990 年代中期开始为 3—5 岁的孩子发展一套新的课程，其中包括关于"沟通、语言和读写"、"数学发展"和"世界知识和理解"等具体领域。我们咨询了一个英国幼儿教育专家组的意见，决定以四个课程子量表（包括多元性）补充 ECERS－R，用这套更扎实的工具去量度英国的教育实践。大多数英国专家认为这类实践正在塑造认知发展。

作为研究学前教育机构品质的研究者，我们开始扩展 ECERS－R，使量表对研究文献描述的有"提高"或"支援"作用的学习更为敏感。这导致 ECERS－E 的开发，以便与 ECERS－R 同时使用（参看 http://eppe.ioe.ac.uk）。ECERS－R 的量表和指标乃根据 Bredekamp 和 Copple 于 1980 年代阐述的"切合儿童发展的教育"（DAP）理念而设计。DAP 享有崇高的学术地位，它举出了促进儿童在多个领域发展的实践方法。但英国的课程（QCA，2000）是根据较近期的研究文献制定的，尤其是关于语言、数学、科学的"萌发"、多元性和文化的角色，特别是成人如何支援儿童学习等新文献（参看 DfES，2007a；Evangelou 等，2009）。

ECERS－E 的构建背后是大量有关加强幼儿认知发展的文献，尤其是那些涉及与成人互动的部分。ECERS－E 中的项目和指标受到一些研究的启发。这些研究探讨成人如何为幼儿学习提供"鹰架"（Rogoff & Lave，1999；Wood，Bruner，& Ross，1976）、"延伸"他们的语言（Snow，2006）、支援"持续共用思考"（Siraj-Blatchford 等，2003），及满足他们的个别需要。这些文献将促进学习和发展的因素变成概念。我们可以通过观察，用量表对因素加以评量。

虽然 ECERS－R 对萌发学习能力的教育环境进行评量，但其项目和指标的阐述不够深入，不足以配合英国详细的学前课程。例如关于促进萌发读写和数学能力以及文化和科学思维发展的教育品质评估，对进取的英国课程来说 ECERS－R 便嫌粗略。因此，这几个方面在 ECERS－E 中另设子量表。第四个"多元性"子量表用来评估教师在向不同性别、不同文化/种族及不同能力水平的儿童实施三个认知领域的教育时会作出什么程度的区分。尽管英国全国的学前教育课程与美国各州的很多课程存在差异，但我们相信 ECERS－E 评估的是促进儿童认知发展的基本条件，而这些条件是超越不同国家所规定的课程的。ECERS－E 没有和特定课程挂钩是这套工具的一大优点，这样可以使其适用于美国和其他国家。

英国《早期基础阶段课程》（DfES，2007a）也包含另外三个儿童发展的领域:创造性,体能,个人、社会性与情绪。关乎情感的领域 ECERS-R 已加以透彻的评量,所以不包含在 ECERS-E 内。ECERS-E 从一开始就旨在扩充 ECERS-R,而不是替代它(Soucacou & Sylva, 2010)。

且看看 ECERS-E 的一个子量表。以下文字说明它是如何建立在翔实的研究文献基础之上的。"读写"子量表乃根据 Whitehurst 和 Lonigan 的读写能力发展模式(1998)而编制的。这两位研究者把"萌发读写能力"定义为"发展出阅读与书写的基础技能、知识和态度"。其他研究者也有类似的观点(Sulzby & Teale, 1991)。许多早期读写能力的研究都指出社会环境的重要性,包括一起诵读和讨论图书内容。根据这个"读写萌发"的观点,阅读能力的发展和获得是一个连续的过程,从儿童早期就开始。这与另一论说截然不同,该论说把阅读看作儿童上学之后才开始的"全有或全无"的现象(Storch & Whitehurst, 2001; Whitehurst & Lonigan, 1998)。在读写萌发的概念中,"阅读"和"读前技能"没有清晰的区分。入学前,各种互动和书本已经使儿童"萌发"出读写的行为。因此,读写能力的获得是一个涵盖整个学前时期的连续过程。读写能力发端于家庭或学前教育机构的互动之中,尤其是当儿童在社会环境中接触文字的时候(例如阅读书籍或身边引人注目的文字,像包装或标志上所示著名企业的名称,如麦当劳之类)。

萌发阅读能力包括儿童对阅读的概念性知识和程式性知识。其间儿童的"假装阅读"和"创造书写"是上学后正式读写的重要基础(Mason & Stewart, 1990; Senechal, Lefevre, Smith-Chant, & Colton, 2001)。我们有大量关于萌发读写的文献(关于萌发数学、科学及对差异和多元性理解的文献则较少)帮助我们建构指标,用来评量学前教育机构中促进儿童萌发阅读能力的学习环境。

基于上述,我们认为 ECERS-E 超越国家课程,在美国尤其能够发挥功效。它虽然在英国开发,又特别针对一个特定的课程,但量表的基础原则来自公认的良好教育实践。量表的应用非常成功,这个情况将会在美国和世界其他关注教育品质的地方继续下去。

ECERS－E 的性质

2003 年,ECERS－E 以一个"研究版本"的性质出版。我们的目的是希望与英国和其他国家(尤其是美国)正在使用 ECERS－R 的研究者们分享补充材料,使早期儿童教育机构的课程和教学方法能够获得更加细致的评量。

ECERS－E 最初开发出来时,使用它的是一个非常了解这套工具及其目的的研究员队伍。由于使用者都知道该怎样演绎量表和明白它们的原意,故此项目和指标并没有额外的说明和注解。但是,现在量表的使用日益广泛,所以有必要提供额外的说明和注释,帮助使用者正确地应用这套工具。由于我们和其他培训使用者的人员收到有关量表的查询,所以便对每个项目添加注释,作为回应。这些注解使量表的用法更为一致,但重要的是:我们要明白注解是为了支持观察员的专业判断,而非限制他们。

ECERS－E 和教学法评估:量表的"精神"

虽然各子量表被冠以诸如"数学"之类的课程领域名称,但每个项目中的品质评级是针对教学法、教学资源和课程而设的。四个子量表的每个项目都根据教学法、教学资源和教育机构的环境设置来评分。个别的指标通常每次聚焦于其中一个方面。

在 ECERS－E 中得分较高的教育机构往往在儿童主导的活动和成人主导的活动之间保持平衡,并有大量基于共同建构教学法的"持续共用思考"(Siraj-Blatchford 等,2002)。如有证据显示教学计划及儿童评估是根据儿童的个别需要和兴趣的话,四个子量表都会予以肯定。

- 如果教学法显得"突然"或缺乏连贯性,很多项目会记以 3 分。
- 如果在成人指导和儿童游戏及/或儿童探索之间达到平衡,则记 5 分。
- 如果儿童和成人一起为建构共同的解释、知识和技能作出贡献,则记 7 分。

教学材料也以相同的方法计分。如果提供的材料合适但有限,会记 3 分。如果材料更为广泛丰富,则记 5 分。如果提供的材料适合不同能力、不同文化背景和不同兴趣的儿童积极使用,则记 7 分。

使用注意事项

ECERS－R 作为一套工具,是既为帮助研究,同时也为指导实践而开发出来的。ECERS－E 则不一样,它最初是纯粹为了研究目的而开发的。它起初是 EPPE 项目的组成部分,是 ECERS－R 的扩展,作用在确保对某些领域的评量能够更加深入和严谨,尤其是那些旨在促进儿童萌发读写、数学和科学思维等能力的领域。ECERS－E 目前也被广泛用作提高教学品质和在这方面提供宝贵指引的工具。但是由于几个原因,我们要记住 ECERS－E 的开发背景:

1. ECERS－E 的设计,是作为 ECERS－R 的增订版而非一套独立的工具,所以不应把它当作独立的工具加以介绍或使用,这一点非常重要。它聚焦于课程的某些方面(例如读写、数学、科学/环境和多元性),却不涉及其他方面(例如创造性、个人、社会教育、资讯沟通)。这个事实并不表示这些方面比读写、数学或科学较为次要,而只因它们不是 EPPE 项目的焦点。单独介绍和使用 ECERS－E 会给人一个印象,以为它针对的领域比其他领域更为重要,这可不是我们的原意。若依原意与 ECERS－R 一起使用,ECERS－E 会使某些方面更添深度。

2. ECERS－E 原为评量品质而设,它不是一套特别的专业发展工具。因此,量表中的项目没为改进某特定领域的品质提供一整套可依循的步骤。它们包含的是一系列不同水平的素质"指标"。例如"读写萌发"项目下的 7 分(优良)指标,是我们在优秀的教育机构中可以看到的那种事例。但是,它们并不一定包括我们对一所优质教育机构应具备的所有条件的期望。重要的是,教育机构不该采取"检核表"的方法只改善 ECERS－E 列出的要求,而把其他没有列出的项目置之不顾。这并不符合量表的精神。

3. 如上所述,ECERS 不能覆盖学前教育实践的所有方面。它的子量表也不能提供全方位的覆盖。那些全部取得 7 分的机构仍需考虑自我发展的需要。改善的空间永远存在。

4. 成功运用 ECERS－R 和 ECERS－E 对自身的课程、提供的教育及实践方法进行批判性评估的教育机构发觉量表非常有用,对促使实践者之间展开何谓"品质"的辩论尤其有效。使用量表作出评量之前进行辩论,有助于建立一种易于改变及对品质有更深刻理解的文化。在培训的过程中,实践者经常表示,运用 ECERS 进行评估很有价值,而不是说 ECERS 如何改变了他们(见下文"ECERS 作为自我评价和改进的工具"的章节)。

术语

我们把读写、数学、科学与环境和多元性等广泛的题目称为子量表。子量表中的每个副标题称为项目。每个项目中的文字段落被称为指标。例如:

子量表 = 读写
项目 = 环境中的文字
指标 1.1 = 儿童看不到附有图像的标签

量表中"教师"一词泛指在接受观察的机构中经常与儿童一起工作的所有成人,包括义工、受训人员、学生和支薪员工。

当资源被描述为"可取用"时,指的是儿童可于一天大部分时间内在没有成人帮助的情况下接触到它们。

使用量表前的准备

不管是把 ECERS－E 用作自我评价(见下一节)还是研究的工具,使用者最好事先对 ECERS－R 量表有所认识。师范学院出版社备有一系列与 ECERS－R 相配套的材料,作培训之用,包括录影练习和如何判断的建议。这些材料适用于小组学习或自修。看过培训材料之后,使用者需要进行几次尝试观察,以便熟悉量表中的项目内容。观察一次是不能奏效的(参看 Cryer, Harms, & Riley, 2003; Harms & Cryer, 2006)。

量表的运用不仅要求使用者对量表的内容高度理解,还要求他们知道观察到的现象有什么意义。很多时候完成量表所需的资料难以在观察中找到,使用者便需以顾及别人感受的方式向员工查问他们的实践情况。因此,任何使用者都必须熟悉量表的内容,同时有信心能够挖掘出更多的资料。具有幼儿教育工作背景的人士,包括对幼儿教育的适切施行方法及儿童发展有深刻理解者,在评量幼儿教育机构时会占优势。

在使用量表之前,我们大力推荐使用者接受外部的培训和评估,以保证他们判断的可靠性。"可靠"意指你已接受过独立观察员或互评员(经培训达到一定标准)的考核,而且你的分数与他们的"黄金标准"相符。这使你的评量结果有效。互评可信度指的是两个人观察同一环境的评量分数有多接近。互评员是来自机构以外的观察者。希望使用量表的人士可以参加培训,详情请与北卡罗来纳大学教堂山分校弗兰克·波特·格雷厄姆儿童发展研究所或者 A＋教育有限公司（www.aplus-educaiton.co.uk）联络。

ECERS - E 的使用

观察前的准备

ECERS - R 的设计聚焦于经常出现的活动和行为,所以可轻松地在半天的探访期间内作出评分。针对特定课程领域(像数学)设计项目时有一极大难题,就是项目的必要资料可能在一天内观察不到,故需寻找可行的评分方法。很多数学和科学活动不是每天都进行的,因此 ECERS - E 遇到了取样的问题。如果参观当天看不到每周计划中的活动,评分者可如何给分呢?为了这个缘故,我们在科学和数学子量表中提供可以选择的项目,方便评分。ECERS - R 并不十分依赖检视文件或教师的教案。但较新的 ECERS - E 为了收集资料必须参考教案、查看儿童活动记录以寻找实践的证据,以及需要仔细观察室内四周的布置,例如昨天科学活动的照片。这个做法在英国行得通,因为他们非常重视年度计划、学期计划、每周和每天的计划。跟计划传统没那么发达的国家比较,英国的观察员工作起来要容易得多(见下文"辅助性证据(非观察)的运用"一节)。

准备观察时应谨记下面几点:

与其他环境评量表一样,ECERS - E 为每次评估一组儿童而设。对这组儿童涉及的所有方面都应加以观察。

● 观察需有充足的时间。完成 ECERS - E 至少需要预留 3—4 个小时。但若要观察接受评量的一整系列活动以及正确掌握机构提供的教育,便可能需要更多的时间。我们建议你观察 6 个小时(例如从上午 9:00 到下午 3:00)。

● 如果你同时使用 ECERS - R 和 ECERS - E,也许你想在开始的几个小时内完成 ECERS - R(ECERS - R 的作者们建议观察时间为 3—4 个小时),然后继续观察,为 ECERS - E 收集更多资料。

● 结束观察前,你需要一点时间与一位教师交谈,向他/她提出任何其他问题。这最好在教师无须照顾儿童的时候进行。你还要能查阅文件,例如教案、儿童观察/记录。如果需要的话,你可能要多花一些时间提出有关这些文件的问题。你最好在参观之前就通知教育机构你想查看文件材料,好让职员有时间为你作出安排。

● 观察开始前,确定你已尽量将观察对象的资料填写妥当:中心的名字、年龄组别等。

● 观察前花些时间熟悉教育机构和它的地理环境。不妨联络教师以了解观察期间安排了什么活动。

● 确保你清楚量表用语的定义。例如"一些"("环境中的文字"3.1)表示数量有限,也许不超过5;而"许多"(同项目5.1)则含有多于5的意思。观察员和互评员应有共识,对"少量"、"一些"、"许多"、"多样"、"大部分"、"有时"等词作出清晰的区分(以百分比)。在此情况下,图书和读写区的"容易取用"意指儿童能容易拿到并使用这些资源,并不表示每个孩子在任何时间都要能取用所有资源。"教师"指的是所有直接与儿童接触的成人。

一起使用 ECERS - R 和 ECERS - E

● 我们的原意是 ECERS - R 和 ECERS - E 在同一天一起并用。ECERS - E 需要用上一整天的观察,因为它评量的一些活动和资源可能不常出现。例如,培植种子的小组活动(第 10 项:自然材料)也许要在下午进行,因为那时负责的家长才有空到中心来跟孩子一起工作。故此如果只在上午观察这个中心,也许会导致分数偏低。

- 一位训练有素的观察员可以只参观一天便完成两套工具所要求的一切观察、访谈和记录。不过他或她的工作步伐必然非常紧张。如果中心只开放半天,那么就应安排两次连续的探访。观察员最好提早到达中心,以便目睹儿童和家长的到来,然后利用上午的时间进行观察和记录。半天的工作完成后,须点算一下项目和指标,看看哪些可以清楚评分,哪些还需要进一步的资料。午饭时间是约见资深教师进行访问的好时机。访谈时可要求查阅个别儿童的记录和教学计划。下半天应该用来核实上午的评分及完成尚未决定的项目/指标。两段观察结束时如有教师在场回答最后的提问,或解释有关布置、教学计划和资源方面的问题,那就最理想不过了。

观察的进行

1. 不必按照文本中出现的顺序来完成项目。如果一项烹饪活动正在进行,你可以决定马上给它评分,稍后才回到其他项目。有些项目的评量比其他项目来得容易。

2. 在有充足时间做出合理判断的情况下才好给一个项目评分。对于需要观察成人/儿童或儿童/儿童互动的项目,这点尤为重要。必须确定你观察到的东西能够代表机构的整体实践情况。

3. 注意不要干扰所观察的活动。观察员应作"壁上观",避免与儿童或教师互动。应尽量低调,行动、表情和答问保持中立。

4. 如果你对某事有疑问,可在计分表上详细记录下来,确保观察结束

后回过头来跟进时仍够清楚明白。然后可就有关事项跟一位具"批判性的朋友"进行讨论,以便作出合理的判断。当你运用量表进行自我评价或打算就你的观察给别人一些回馈的时候,这点尤其重要。

5. 确保观察时给**所有**项目评分。在现场以外评分会很困难。

6. 每次观察应使用一张新的评分表(只有评分表可以复印),并须确保分数清晰及可以复印出来。工作时最好使用铅笔,而且带一块橡皮擦以便修改分数。

量表的评分

观察员应熟悉量表后才尝试评分。必须严格按照指示作出判断。

1. 分数必须反映观察到的实践,而不是教师告诉你的将来计划。

2. 量表把教育品质分为 7 级,1 分 = 不足,3 分 = 最低标准,5 分 = 良好,7 分 = 优良。

3. 观察应从第 1 部分开始系统地进行。

4. 如果第 1 部分有**任何**指标评为 Y(是),那么应给 1 分。

5. 如果第 1 部分**所有**指标都评为 N(否),而第 3 部分至少一半指标评为 Y(是),那么应给 2 分。

6. 如果第 1 部分**所有**指标都评为 N(否),而第 3 部分所有指标都评 Y(是),那么应给 3 分。

7. 如果第 3 部分**所有**指标都达到,而第 5 部分至少一半指标评为 Y(是),那么应给 4 分。

8. 如果第 5 部分**所有**指标都评为 Y(是),那么应给 5 分。

9. 如果第 5 部分**所有**指标都达到,而第 7 部分至少一半指标评为 Y(是),那么应给 6 分。

10. 如果第 7 部分**所有**指标都评为 Y(是),那么应给 7 分。

11. 可评可不评的项目(例如,9a:形状或9b:分类、配对及比较),其评分表上都有 NA(不适用)的选项,唯有这些项目可用 NA 来给分。

12. 计算子量表的平均分时,只需把子量表中每个项目的分数加起来,再除以项目数目。

注:这些评分指引以 ECERS－R 为本,教堂山分校的团队为制定指引提供帮助,谨此致谢。

选择性项目的评分

与 ECERS－R 不同,ECERS－E 有选择性地评量项目。ECERS－E 聚焦于提供学习体验的机会,然而有些活动在观察期间可能并不明显,却与课程中重要的方面相关。在决定评量哪个可选择的项目之前,要仔细检查一下观察期间可以看到些什么活动,看看哪个项目手边有最多证据,可供评分。如果你不太确定,可评量所有项目,包括可供选择的项目,然后判断哪一项最能准确反映儿童在该课程领域中的整体经验。

数学和科学子量表中的一些项目是可以选择的。头两个数学项目必须评分。观察员接下来要么选择"形状",要么就选择"分类、配对及比较"。

头两个科学项目必须评分。观察员接下来可选择"非生命"、"生命过程"或"食物的准备"。

设置选择性的项目是为了使观察可在任何机构进行。ECERS－E 评量复杂的教学互动,期望通过一次观察就看到量表中列出的所有行为和活动是不可能(或不现实)的。选择性项目使我们可以评量观察当天中最明显的行为和活动。

举例来说,三个可选择的科学项目评量相同的概念(例如:教师鼓励儿童运用不同的感官去探索和讨论他们的经验),只是从不同的科学范畴("非生命"、"生命过程"及"食物的准备")出发而已。通常我们到了观察后期才决定评量哪一个范畴。可取的做法是收集所有可选择项目的证据,最后决定哪一项可以拿到最高的分数。比方如果你看到了一个烘焙活动,收集到有关"食物的准备"的资料便可能比其他选项更多。在这种情况下,你会完成这个项目的评分而略过其他两个可以选择的科学项目。这样你便可以给机构当天的最佳实践评分。

就评分来说,你须为"科学"提交三个项目的分数:项目 1、项目 2 和可选择的任何一个项目。假如你是一名教育工作者,正以较具发展意义的方式使用这些量表(例如,随着时间的推移,证明经过改良的教学方法有效),你可能想利用所有可选择的项目。

辅助性证据(非观察)的运用

运用课程计划文件

20世纪90年代末期,英国的幼儿保育与教育政策有了非常大的改变。一系列非常有影响力的报告建议扩展幼儿教育,为幼儿和家长提供更综合的教育服务(DES,1990;Ball,1994;审计署,1996)。很多研究也证实了幼儿教育的好处(Sylva等,2004)。

这首先促使了一套"指引"(QCA,2000)的开发,制定了幼儿教育的框架,后来更为"0—5岁儿童的学习、发展和照顾"订立了法定标准(DfES,2007a)。法定的框架明确指出儿童必须接受涵盖6个学习和发展领域的教育课程。这6个领域为:个人、社会性和情绪发展,沟通、语言和读写,问题解决、推理和数学,对世界的知识和理解,体能发展以及创造性发展。教育工作者不仅要为儿童这些方面的发展提供学习机会,还要监察他们的学习和进度。这需要借助法定的评量安排才能完成,这些安排表明"持续评量是完整的学习和发展的一个组成部分"(DfES,2007b,p16)。为此,英国人不仅越来越强调对儿童学习与进度的监察,也日益重视教育机构提供证据,说明课程切合他们子女的发展需要。

借具体的计划提供证据已是英国通常的做法。尽管计划的品质因机构而异,但是所有机构都有法定义务提供课程计划以备检查,以及提供儿童的个人档案向家长汇报。

在英国,最常见的计划为长期计划、中期计划和短期计划。长期计划可能覆盖长达一整年的时间,提纲挈领地表明机构针对6个发展方面有何措施,属综述性质。中期计划(一般以6周为一期)会就促进学习的活动提供更多细节。短期计划(每周或每天)就个别(或小组)儿童参与的具体活动提供详尽的资料。在英国,课程计划以仔细著称,其详细程度超越张贴出来的每日活动表,而且通常是根据对个别或小组儿童学习的观察和他们的兴趣来制定的。虽然张贴出来的日程可让家长"一目了然"地看到自己的孩子上课时做什么,它们却是由老师根据一个非常详细的书面计划制成的。

英国的课程计划通常不仅包括活动细节,还须对活动细节进行评估。教育工作者需要指出活动的学习目标,然后评论活动能否达标。教育工作者通常会反思什么进展得好,什么进展得不好和以后的活动需要改变什么。除了评估课程计划,他们还要详细评论个别儿童参与活动时的表现,这是填写儿童个人的"早期基础阶段记录"时必须提出的证据(QCA/DfES,2003)。"早期基础阶段记录"是个法定文件,所有中心都须填写,以便监督儿童的发展进度。当儿童循英国的教育系统拾级而上时,文件会"追踪"他们的学业成绩,显示他们哪些方面已经获得发展,哪些方面仍需下功夫。这个文件还用来向家长报告孩子取得的成就。

使用计划作为证据的注意事项

在英国进行 ECERS-E 观察时,课程计划常常被用作额外证据,支持评估者的判断,因为课程计划包含大量有关儿童学习的资料。但是,我们强烈建议使用计划作为证据时务必极度谨慎:单独使用而缺乏观察所得作为佐证将会导致差劣的判断。

考虑课程计划的最大挑战之一是我们不知道书面计划能否或在多大程度上获得实施。一些中心严格遵照计划,另一些却可能只把计划视为纸上谈兵。有些机构会因应儿童的需求和兴趣改变计划,有些则是为了教师的方便。因此评估者要有一定的信心,认为中心有能力制定有意义的计划。倘若课程计划没有评估、评论或提及儿童实际上做了什么,便应小心对待。一个好的计划可以在实施过程中有所改变,但改变必须清晰地加以记录,而且评估者应该可以从概念到实施全程了解它。同样,计划本身不能为教育品质提供任何线索,但是如果我们能好好地评估一个好计划,亦可从中洞见其教育品质。

ECERS - R集中评估常见的活动和行为,故此很容易在半天的观察中作出评分。设计特定课程领域(例如数学)项目时最大的难题是:有些项目的必要资料未必可在一天之内通过观察获得,对它们该如何加以评分? 许多数学和科学活动并不是每天都进行,所以我们遇到了取样的问题。对于那些构成每周计划的一部分,但没有在访问当天发生的活动,评估者如何给分? 因此,与 ECERS - R 不同,使用新版ECERS - E的观察者必须通过参照课程计划文本(P)、查看儿童记录(R),以及检视室内布置,例如过去一天科学活动的照片(D)等方法收集资料。跟课程计划传统不强的国家相比,这在英国比较容易实施,因为英国强调年度计划、学期计划、每周计划和每天计划。虽然 ECERS - R 指出在什么情况下可以使用计划作为评量依据,但是我们再一次重申,观察、判断时不要过分依赖这个方法。

由于 ECERS - E 是一套观察性量表,所以大多数的活动和行为需要凭观察来给分。有时辅助性的证据(例如,布置或儿童记录/档案)也可以利用。如果其他来源的证据适合用来补充观察的话,有关的项目会加上以下标记:

P—可接受课程计划作为证据

D—可接受布置/照片记录作为证据

R—可接受儿童记录(包括儿童档案或他们存档的完成作品)作为

证据

Q—可接受提问内容作为证据

注:在评分表上,这些字母会出现在相关指标的旁边。评分时可以把字母圈起来,以示证据的来源。

在整套量表中,指标如果可以采纳观察以外的证据,都会加上这样的标记(以 P, D, R 及/或 Q 等字母)。少数指标与计划及/或记录有特殊关联,所以要求证据以这些形式出现。例如,以下的科学子量表(项目 12a)要求科学概念的介绍必须经过计划。在这个情况下,课程计划的证据是必需的:

5.1 教师经常策划和介绍适当的科学概念(如材料怎样变化、磁性、下沉和漂浮的物品),由儿童亲手操作材料。* P, D, R

然而,大部分容许以辅助资料作为证据的项目,也只应在缺乏"观察得到"的例证时才采用这些额外的资料。观察所提供的永远是最佳的证据,因为如果依据布置或记录,我们无法知道一项特定的活动开展得如何(若以课程计划作为证据,我们甚至无从知道计划能否实施)。例:如果当天观察到以下这个科学子量表指标(项目 10),即可评分。但是如果不能直接观察到证明,便可从计划及/或布置中寻找证据代替:

5.1 自然材料不单用来装饰,还用来说明具体的概念(如培植种子或球茎以说明生长或种子的传播)。* P, D

如果你当天的观察并不支持课程计划的证据,便不能对计划中的活动予以肯定。

有些时候,课程计划、记录及/或布置只能充当辅助证据,我们必须同时观察到一项特定的活动才能作出评分。遇到这种情形,P、D 和 R 会加上括弧:

7.1　鼓励儿童识别和探索学校以外的环境中的各种自然现象,并谈论/描述它们。*(P),(D)

这个指标的注释清楚指出,至少需观察到一次与自然现象/材料有关的讨论。然后课程计划和布置便可用作辅助证据,说明儿童是否曾体验种种自然现象。

该审核多少证据?

采用 ECERS－E 做评估的时候,我们建议观察员取样检查一些书面证据:

- 长期、中期及短期的儿童发展计划(至少要看最近的计划,可能的话,看过去 6 个星期的计划,如果它们具有相当代表性)。*
- 三名儿童的记录(例如:故事学习、儿童的作品档案)。可能的话,记录应该涵盖各种年龄/发展阶段,例如:1 名儿童在一个或多个领域表现突出、1 名儿童水平中等、1 名儿童则在一个或多个领域遇到困难。
- 至少抽取一名有额外或特殊需要的儿童的档案,比方儿童的"个别教学计划"(如适用)。
- 当时教室内的布置(例如近期活动的照片、为家长制作的介绍小组最近活动的书本、展示儿童作品的墙报板)。总的原则是,

如果用布置作为证据,展品不应是 6—8 个星期前的旧作。

注:最好请一位教师给你讲解一下制定计划和保存记录的程序。
＊　应该取得过去六个典型星期的进展计划。短期计划一般公认为须回应儿童的兴趣和需要,不能过早完成。中期计划则围绕持续的课程领域、可能的主题和季节性的发展而制定,应该反映机构的工作,而且可以拿到。长期目标、短期计划和纵向计划应该都有某种形式的记录。

在整套量表中,容许采用计划、记录或布置作为证据的地方都会提出指导原则,说明举证时应该观察多少个例子。但是这些指导原则并非一成不变的,因为每个机构的计划和记录方式都不一样。至于机构对特定活动或概念的教育配套是否足够,也需观察员自行判断。如果将 ECERS－E 作发展性用途(例如,教师团队长期使用),则检阅超过 6 周的课程计划及更加全面地审查儿童记录,将会非常有用。

英国的课程计划

在计划方面,英国与美国及其他国家的最大不同,可能是英国在策划详细的教学活动时非常重视儿童兴趣和国立课程。另外,英国就如何记录儿童的成绩和进度立有法规,包括须系统地记录儿童的表现以追踪他们的进展。继为早期儿童教育工作者推出全国性的课程指引之后(QCA, 2000),他们又出台了另一套规则,以确保教育机构遵守法定义务,设立儿童成绩的正式记录(QCA & DfES, 2003)。为做好这份个别儿童的成绩记录,必须保证所有与该名儿童一起工作的教师做到以下几点:

- 理解这个孩子的发展阶段(总结性记录)。

- 根据这个孩子的需要设计适合的活动(进展性记录)。
- 把重要的资讯准确地传达给其他儿童工作者和家长。

为了帮助儿童工作者实行这个程序,政府成立了一个专门的机构。国家策略部(The National Strategies)提供面对面的和网上的培训,帮助所有儿童工作者把国家政策转化为每天的实践。儿童工作者必须确保学习环境经过精心设计和组织,而且要能激发儿童的发展。"学习环境"意指资源、组织、成人角色和任何可用来激发儿童思考和发展的体验。这不仅包括特别计划的活动,还包括日常程序,例如上课/下课、故事时间、洗手、清扫整理、问候和放学。在英国,一个好的计划要能为儿童提供一个内容广阔而平衡的课程,同时配合儿童的兴趣、能力、文化和性别,为所有儿童提供学习机会。计划要包括长期、中期和短期三类。虽然政府部门会就课程计划提出建议,却没有一个人人必须遵照的框架。个别教育机构可以制定自己的计划系统,条件是记录的事项须符合国家指引的要求。

下文介绍两个课程计划的例子,说明英国的 ECERS 使用者评分时会收集什么证据。实例 1 来自英国国家策略部(http://nationalstrategies. standards. dcsf. gov. uk/earlyyears)。它为儿童工作者提供各种材料,帮助他们制定计划。国家策略部的网站内容可以免费下载,但版权属于政府的材料须取得英国政府批准才可复制。国家策略部容许我们凭 C2010000736 号许可证在例 1 中复制政府资料,谨此致谢。我们也要感谢 A＋教育有限公司(www. aplus-educaiton. co. uk)的 Sandra Mathers 和 Faye Linskey,她们为实例 2 提供了材料。

每位幼儿教育工作者(或主任)都须为他们照顾的儿童制定长期、中期和短期的计划。较大的机构常常让教师分享他们的专长,以小组合作的方式完成这项工作。英国的课程计划包括:

长期计划

长期计划列出一整年的主题,并说明这些主题如何与六大发展领域相关:

1. 个人、社会性和情绪发展(PSED)。
2. 沟通、语言和读写(CLL)。
3. 创造性发展(CD)。
4. 身体发展(PD)。
5. 对世界的认识与理解(KUW)。
6. 解决问题,推理和数学(PSRN)。

长期计划可能相当概括,但必须要为制定中期计划提供基础。应清晰地把长期计划展示给家长。

中期计划

中期计划一般较详尽地列出整个 6 周的课程,并为个别活动和学习领域提供更多的细节。一如研究所示(Siraj-Blatchford 等,2002),最有效的教育机构都在儿童主导和成人带领的活动之间取得平衡。我们鼓励儿童工作者策划活动时注意平衡个别儿童的兴趣与课程的均衡。

短期计划

在短期计划中,有技巧的教育工作者会想办法结合个别儿童的兴趣和需求,确保在一节课内所有儿童都有机会在他们觉得有意义的情况下发展技能。评量的核心是儿童个体。我们鼓励教育工作者通过系统的观察和讨论找出儿童的强项、弱项和兴趣,然后把它们跟六大发展领域联系起来。

注意六大发展领域的缩写:它们在这章节所介绍的计划表中经常出现。

实例 1

　　在下图中,儿童 C 的老师发觉她对拖拉机感到着迷,于是把这兴趣转化成一个"个人计划",看看计划可以如何帮助 C 在六大领域中获得发展。在此,C 的老师已经找出一些可能引发孩子动机的活动,为她设计了个人的学习计划。

实例：个人活动计划

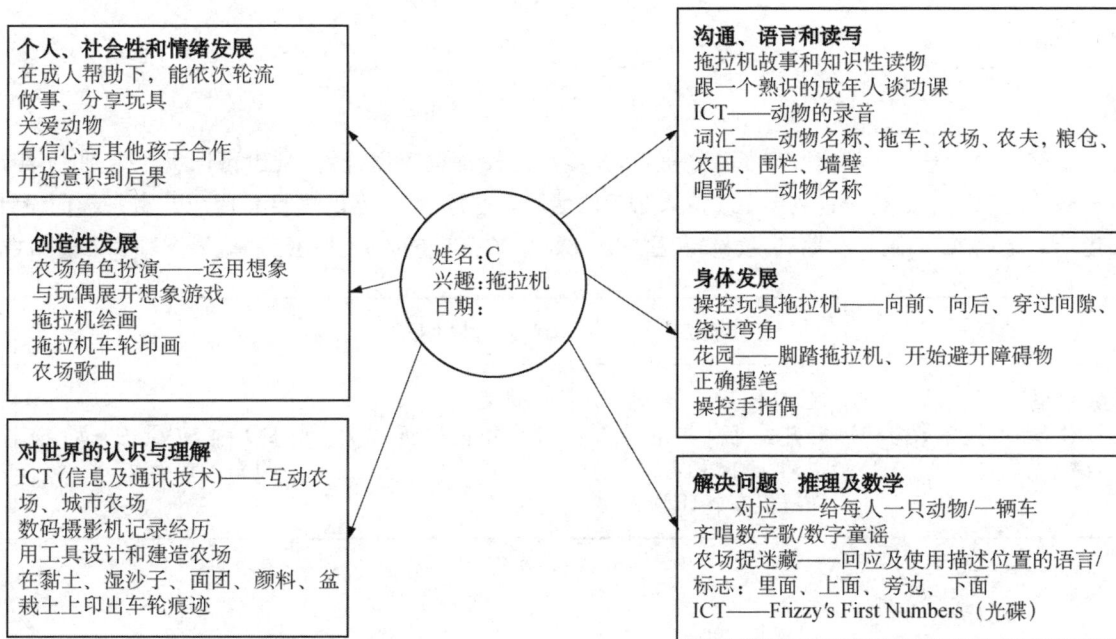

个人、社会性和情绪发展
在成人帮助下，能依次轮流
做事、分享玩具
关爱动物
有信心与其他孩子合作
开始意识到后果

创造性发展
农场角色扮演——运用想象
与玩偶展开想象游戏
拖拉机绘画
拖拉机车轮印画
农场歌曲

对世界的认识与理解
ICT (信息及通讯技术)——互动农场、城市农场
数码摄影机记录经历
用工具设计和建造农场
在黏土、湿沙子、面团、颜料、盆栽土上印出车轮痕迹

姓名:C
兴趣:拖拉机
日期:

沟通、语言和读写
拖拉机故事和知识性读物
跟一个熟识的成年人谈功课
ICT——动物的录音
词汇——动物名称、拖车、农场、农夫、粮仓、农田、围栏、墙壁
唱歌——动物名称

身体发展
操控玩具拖拉机——向前、向后、穿过间隙、绕过弯角
花园——脚踏拖拉机、开始避开障碍物
正确握笔
操控手指偶

解决问题、推理及数学
一一对应——给每人一只动物/一辆车
齐唱数字歌/数字童谣
农场捉迷藏——回应及使用描述位置的语言/标志：里面、上面、旁边、下面
ICT——Frizzy's First Numbers（光碟）

另外,老师还会跟 C 的家长沟通,看看 C 在家是不是也持续对拖拉机感兴趣,并给家长一些建议,利用 C 对拖拉机的兴趣促进她的学习。这些资料加入 C 的"个人计划"中,如下:

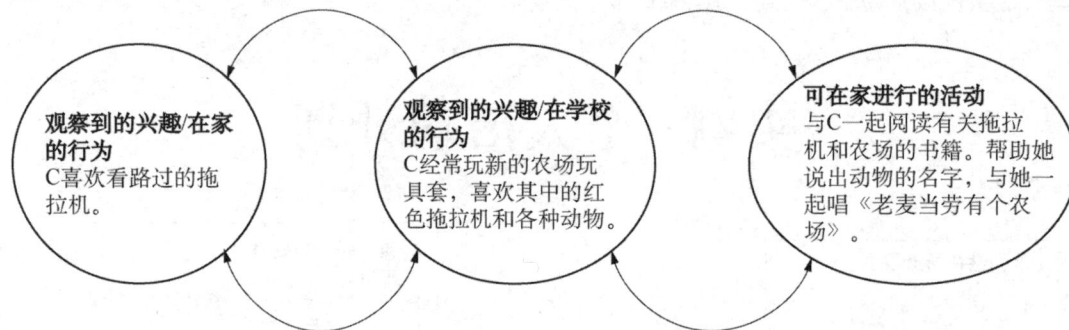

观察到的兴趣/在家的行为
C喜欢看路过的拖拉机。

观察到的兴趣/在学校的行为
C经常玩新的农场玩具套,喜欢其中的红色拖拉机和各种动物。

可在家进行的活动
与C一起阅读有关拖拉机和农场的书籍。帮助她说出动物的名字,与她一起唱《老麦当劳有个农场》。

这样详细的计划会为每个孩子制作一份。只有收集了这些资料,才能订立短期的每周计划,列出可以满足个别、小组或大多数孩子需要的活动。计划的下一步是展示一周的活动。下面这个计划展示了成人带领的活动。注意:**粗体字的项目是因应儿童兴趣而设计的活动**,字体没加粗的是为了平衡课程而设计的活动。星期二(印画)、星期三(故事)和星期四(录音)这几项成人带领的活动明显照顾了儿童 C 的兴趣。

日期	星期一	星期二	星期三	星期四	星期五
成人主导的特别活动或新提供的活动	颜料混合 **Tuff Spot 托盆、狗和"饼干"**	在饼干上涂酱料,切开并品尝(牛油果)、番茄、辣椒和青瓜 **拖拉机车轮印画**	**挖掘菜圃 故事角色扮演**	音乐 **CD 播放机——动物叫声的录音**	秋季散步 牛角包和热朱古力

接下来策划持续的（日常）活动（非由成人带领，但列在表中），同样也以儿童的兴趣为依归：

持续的活动				
可塑性材料	面团、活动材料套	黏土、工具和海绵	玉米粉和水	面团、印模	干颜料
沙子	**自由选择**	恐龙	**拖拉机和挖土机**	车轮	带孔的容器
水	船和人	绿色的水和容器	气泡	循环再用材料	**自由选择**
设计和科技区	积木	**农场和娃娃屋**	**自由选择**	列车组	木砖
资讯科技	Tizzy's Busy Week（电脑软件）	Frizzy's First Numbers（光碟）	音乐活动	2 套 Simple Paint 绘画软件	字母汤
拼图、玩具、游戏	Quack Quack game **（桌上游戏）**	人物拼图	图书和玩具	Cobble Road **（数学游戏）**	磁性字母
故事和小组时间	Little Farmer Joe 及数字儿歌	Webster J. Duck 及数字儿歌	And the Good Brown Earth 及数字儿歌	Handa's Hen 和音乐、数字儿歌	Roaring Rockets 及数字儿歌
食物和饮料	牛奶、苹果	牛奶、饼干、番茄、牛油果、青瓜	牛奶、红萝卜	牛奶、香蕉	热朱古力/牛角包
花园（按天气安排活动）	铁铲、水桶、种子和播种器、大沙盘	大型用水设备、嬉水	**手推拖拉机**泥耙和铁铲	**手推拖拉机和玩具**	单轮车、泥耙、水桶、扫把

同样，加粗的字体表示该活动乃针对指定儿童的已知兴趣而设计。有关拖拉机的活动和强调农场的故事时间照顾了 C 的兴趣。计划的下一步就是增加这些持续活动的深度，清楚表明教师回应了哪些学习概念。在下面的例子中，食物和饮料这两个持续性活动经过扩充，更详细地显示出其具体的学习内容。

日期	星期一	星期二	星期三	星期四	星期五
牛奶和点心	一起准备牛奶和水果 ● 在帮助下开始与另一孩子一起工作 表现:帮助、给予	一起准备牛奶和水果 ● 开始按顺序背诵数字准确地数东西(儿童K、J)	一起准备牛奶和水果 ● 准确地数东西 ● 作出解释	一起准备牛奶和水果 ● 运用数学知识开始解决问题	将纸箱分组 ● 当两组纸箱的数目相同时开始懂得说。
故事	Little Farmer Joe ● 开始说出感受 (儿童H、A:表达他们自己的感受) 表现:高兴、伤心	Webster J. Duck ● 分辨声音 (儿童J、C:把声音与动物联系起来) ● 注意图画的细节 表现:动物名称	And the Good Brown Earth ● 联系以往的经验 ● 谈论最近发生的事情 (儿童A、N:在帮助下) 表现:什么、谁	Handa's Hen ● 开始意识到民族和文化 ● 开始数不能移动的东西 (儿童M、E:按顺序背诵数字) 表现:聆听	Roaring Rockets ● 开始意识到押韵的字 (儿童J、H:加入儿歌活动)

这个计划表更详细地说明每项活动的学习重点,并且突出了将在这些活动中成为核心的儿童。所以星期二的故事活动特别记录着要有儿童C的参与。个别儿童对自发游戏的反应也可以手写记录,待下课后写入方格:

额外活动	拼贴材料、熊和洞穴	颜料、拖拉机车轮	Going on a Bear Hunt、乐器	踏石头	盒子、鹅卵石、恐龙、沙
观察	H——用拼贴材料做一只火箭带回家给爸爸看。 K、J 和 A——用熊和洞穴玩角色游戏	C——用花园里的坐人玩具拖拉机和颜料,在一个角落做车轮印画。所有儿童加入	K、J 和 C——看着猎熊书一起扮演角色和唱歌。C 参与了户外的乐器活动	M 和 E——在花园踏石头。 K、J 和 C——在野外寻找熊	T —— 一些盒子、鹅卵石和沙中的恐龙

注意我们对儿童 C 的强调。

把特定活动(例如考虑到儿童 C 对拖拉机的兴趣)与六大发展领域联系起来的计划也在进行。C 的兴趣促使我们在第一个每周计划举例中包括一项成人主导的"拖拉机车轮印画"活动。教师在她的"焦点活动计划"中阐明这项活动如何与六大儿童发展领域相关。

日期：星期二		
活动：拖拉机车轮印画		
这项活动涵盖的发展领域： 个人、社会性和情绪发展（PSED） 创造性发展（CD） 身体发展（PD） 解决问题、推理和数学（PSRN）		
目的	词汇/问题	学习领域
探索如何做符号标记	列印、标记、图案、圆的、弯曲的、直的、相同、不同	个人、社会性和情绪发展/创造性发展
注意异同	这些图案相同吗？ 它们有何不同？	解决问题、推理和数学
认识图案、大小、形状		解决问题、推理和数学
自己穿围裙		身体发展
目标儿童：Ro、N、Ja、M、C、Re、L		

　　上述所有计划，加上对个别儿童的观察，会用来考察儿童一周内参与活动的情况。每天讨论儿童的进度时会用上这些资料，一周结束前教师聚在一起检讨个别儿童的记录时也会用上它。翌日/下周的活动计划便是根据这些观察制定出来的。

实例2

这个实例来自一所幼儿学校。同样,长期计划指导中期计划的制定,中期计划又指导短期计划的制定。

长期计划

中心内的教师一起制定长期计划,以确保他们提供的学习环境能够鼓励及激发儿童在六个学习领域的发展。

学习环境涵盖资源、组织、成人角色及可能汲取的室内和户外学习经验(在英国往往称之为"持续供应项目")。作为持续供应项目的一部分,中心要确保经常设有:

角色扮演区	建构区	标记/办公区	数学区
沙与水区	创造区	可塑材料区	音乐区
绘画区	图书区	资讯科技区	食物准备区
体育活动区	科学区		

儿童可以独立进入这些区域,区域内备有各种资源支援六个领域的学习。

教师经常思考及讨论日常程序,作为他们长期计划的一部分。他们研究这些日常环节有何潜力,可以为儿童带来学习和发展的机会(例如:上课和下课的时候,包括报到;父母/照顾者把孩子交给教师或反过来的交接时间;小食及吃饭时间;洗手和如厕/换尿片环节;以及整理清扫时间)。在这种安排下,长期计划为所有儿童提供一个内容广阔、平衡的课程,同时为中期和短期计划奠下基础。

中期计划

根据长期计划,这个中心在每个学期(为时约3—4个月)初制定一个计划表或清单,作为中期计划的一部分。如下表所示,针对主题/兴趣的想法都列了出来,也附列了可能的发展途径(PLODs)。主题往往依儿童的兴趣而定,不一定由教师预设。例如,教师注意到儿童对附近的建筑工地和施工车辆很感兴趣,于是发展出旅行和运输这个主题。教师跟儿童讨论可以采用什么主题,儿童的想法会被记录下来,供制定PLODs时参考。

学期中的其他事项也被列出,一如任何其他相关的记录,例如可能影响活动选择的特定儿童的兴趣。这学期的大事包括:煎饼日、复活节、胡里节和当地音乐家到访。

学期:春季学期	
主题:旅行和运输	
源起:几个孩子对幼儿学校旁边建筑工地上的挖土机表现出兴趣	
可能发展途径(PLODs)	
交通工具,例如汽车、巴士、船、飞机、拖拉机、货车	Vaneena's 的爸爸来介绍飞机师的工作
仔细观察汽车	用大积木建造一辆汽车
制作车牌	在不同角度的斜坡上让汽车滑下来
制作车辆牌照(tax discs)	废物模型车
在堆沙区建构施工场地	在户外制作一个车房进行角色扮演游戏
沙中放置挖土机和其他车辆,鼓励进行建设	给户外的车辆/自行车/泊车位编号
徒步去当地的车房	走路时收集自然物品
观察及描绘步行途中收集到的自然物品	参观洗车站/把洗车作为车房业务的一部分
制作地图	藏宝图
制作寻宝指示	行走障碍路线
微型世界资源(例如乐高组合玩具):车房、火车轨道、车辆、街道图	利用地图在沙池中进行微型寻宝

这个计划对特定儿童的兴趣也做了备注:

- Sam 的爸爸有一辆新汽车。
- Ruth, Nadid, Luke 和 David 对隔壁建筑工地特别感兴趣。
- Katy 的爸爸在当地一个车房工作。
- Harry 骑他的小型踏板车上学。
- Vaneena 的爸爸是一名飞机师。

短期计划

短期计划来自中期计划,它因应儿童的个别需要和兴趣而制定,内容包括选自中期计划的活动/体验。短期计划一般每天或每周设定,定出学习目标以及观察和评估的焦点、个别儿童的学习目标及所需的支援、各种资源、关键词汇、教师的职责及实用性的资讯(例如时间安排)。

教师运用以下技巧制定计划:

* 制定成人主导的每周计划,另加入一些增强项目(如下所示)。"增强项目"是指"持续供应项目"以外的增添资源,为的是要发展主题或回应儿童的兴趣。如果活动是由某名儿童的兴趣发展出来的或被认为对某名儿童尤其合适,那么该名儿童的简称就会用粗体标记在计划中。六个学习领域同样被记录下来,以便教师检查一周的活动是否覆盖了全部六个领域。教师每天做笔记,供每周一起制定计划时使用。星期五是留空的,活动要参考一周观察所得和儿童的兴趣才决定。每个周末,教师记录下星期新的"可能发展途径"的注意事项。

* 成人主导的每天活动计划也要完成;计划通常根据一个儿童的兴趣制定且与主题相关(参看下例)。

2 月 23 日开始的一周:(加粗字体 = 特定儿童)

	星期一	星期二	星期三	星期四	星期五
主题活动	利用儿童自制的地图徒步去当地的车房 PSED、CLL、KUW	为煎饼日制作煎饼 PSED、CLL、KUW	利用儿童自制的地图徒步去当地的车房 PSED、CLL、KUW	利用地图在沙池中进行微型寻宝 CLL、PSRN、CD	
成人主导的计划	遥控车;操纵和计划路线 CLL、KUW、PSED **RB、NT、SS、KL、AP、LP、DR**	→ → → → → → → → → → → → → →			
焦点小组时间	介绍自己喜欢的东西 PSED、CLL、KUW、CD	围圈时间 PSED、CLL、CD	分享路上收集到的东西 PSED、CLL、KUW、CD	制作一幅显示地图和宝物的有趣图表 PSED、CLL、KUW、CD	

	星期一	星期二	星期三	星期四	星期五
加强的项目					
CLL	观察地图 CLL、KUW	自制地图 CLL、KUW ————→			
PSRN/数学	颜色和形状拼图 PSED、PSRN、PD	数字拼图 PSED、PSRN、PD	形状分类 PSED、PSRN、PD	形状和颜色配对游戏 PSED、PSRN、PD	
KUW/科学	显微镜和幻灯片 PSED、KUW、PD	斜坡—拖拉机、货车和汽车 PSED、KUW、PD **SG、GB**	通过放大镜观察路上找到的东西 PSED、CLL、KUW	磁铁和杂物 PSED、KUW、PD **PT、NN**	
ICT 和电脑	见"成人主导的计划" ————→				
沙/水	湿沙和干沙 CLL、PD、CD	用茶具和烹饪器具模拟做饭 PSED、CLL、PD	用水桶和铁铲建沙堡 PSED、PSRN、KUW	有颜色的水,管子和漏斗 PSED、PSRN、PD **HT、MG**	
体育活动	吹气泡和追逐气泡 KUW、PD、CD **NT、PP、FY**	利用小装备保持平衡—豆子袋、球、铁环 PSED、PD **LP、SS、RB、MK**	行走障碍路线 PSED、PD	随着快慢音乐跳舞 PSED、PD、CD	
创造区	制作废物模型车 KUW、PD、CD、PSED ————→				
感官区	用印模及滚筒玩橡皮泥 CLL、PD、CD	湿的和干的意大利粉 KUW、PD、CD	用传送带玩橡皮泥模型游戏 CLL、PD、CD	探索玉米粉的属性 CLL、PD、CD **GG、GB、PT、NT**	

37

	星期一	星期二	星期三	星期四	星期五
想象游戏	汽车和路线图 KUW、PD、CD **NT、SS、KL、AP、LP、DR**	火车轨道 KUW、PD、CD	汽车和路线图及玩具车房套件 KUW、PD、CD	飞机和直升机 PSED、PD、CD **RB、NT、SS、KL**	
角色扮演	售票处 CLL、KUW、CD、PSED			→	
备注					
儿童的兴趣					
评价和下星期的PLODs（主题及其他活动）					

下面所示的成人关注点由一名儿童的特别兴趣发展而来，但对其他孩子同样合适和具吸引力。所有儿童都可以参与活动，但个别儿童的资料可以帮助教师了解特殊的兴趣和需要。教师设计 2 月 24 日的活动时参考了前一天（引入遥控车的第一天）的活动评价。

前一天（2 月 23 日）的活动评价部分

评价

大多数儿童能够操控遥控车使它向前、向后、转弯等。能进一步沿着简单路线（用大地图）走。Fred、Heather、Kayla 可能需要帮助和较简单的路线。Ruth 和 Katy 掌握得不错——绘制自己的地图？

成人关注点，2 月 24 日——从上午 10 点到中午，及从下午 2 点到 4 点

对儿童兴趣的观察

Nadid 对使用路线图玩玩具汽车表现出极大的兴趣。当教师跟他母亲提起这件事的时候，他母亲说下周末他会得到一辆遥控车作为生日礼物。

其他可能感兴趣的儿童：Sam（老师经常看到他和 Nadid 一起玩玩具车），Katy（总是很想知道物件是怎样操作的）

活动 操控遥控汽车按照路线前往商店 成人角色： 指导儿童如何使用遥控器。鼓励儿童轮流尝试 操控遥控汽车按照不同路线前往商店	关键词汇/问题 向前/向后 再远些/较接近 左/右 你能让车停下来吗？ 你能让车向前走吗？	这项活动会支持哪些孩子的学习重点 全日班：Ruth、Nadid、Sam、Katy 半日班：Alex C（上午）、Luke（上午）、David（下午）
观察要点 如何操作简单的器具（KUW） 对事情为什么会发生和东西如何操作表现出兴趣（KUW） 分享和轮流做事（PSED） 作为小组的一员参与工作（PSED）	资源 遥控汽车 汽车专用的材料/盒子 绘有路线的大纸张（不同复杂程度） 绘制新路线的大纸张	为个别儿童调整活动 支援：让他们走较简单的路线及成人协助（Fred、Heather、Kayla） 挑战：制定新的路线和规则。跟需要帮助的儿童合伙，指导他们如何操控遥控汽车（Katy、Ruth）

评价——大多数儿童能操控遥控车沿简单的路线走。Fred、Heather、Alex C 需要较多帮助。David、Andrew 和 Nadid 尤其融洽，能够合作和轮流做事——明天要鼓励他们绘制新的路线（Ellen、Josh 也是）。让 Katy 和 Ruth 设计幼儿学校周围的路线图（例如，去办公室）——在尝试中显现兴趣

（实例改编自《基础阶段课程指引》）

儿童观察

　　以儿童为中心的良好活动计划，其成功建基于教师的观察技巧。通过观察每个孩子（和各组孩子）的成就和兴趣，有经验的教师能够设计新的活动或者改变学习环境以促进儿童的学习。这个机构每半个学期就把个别儿童的学习重点记录在一张大纸上，并会为每名儿童列出两个学习重点，一个是短期的，一个是较长期的。

　　简短的观察每天记录在便利贴上。教师团队每周又挑选 4 或 5 个儿童进行仔细的观察（见下面的例子）。每位教师观察指派给自己的孩子，收集有关记录并归入档案。每个孩子更有一个"学习旅程"（个人档案），教师会把儿童参加不同活动的照片贴在里面，并记下儿童从中学到了什么。一周结束前，教师会和家长短聚，由家长报告孩子在家的表现。学校和家庭互通信息有助于加深了解每名儿童的需要、兴趣和学习风格，而且可以帮助教师检讨儿童的个别学习重点。

每天工作结束前,教师们会用半个小时开会以评价当天的活动,并讨论个别儿童的观察记录。这些评价即成为第二天活动计划的起点。以下是前一天的评价,教师把小组中每个儿童参与活动的情形记录下来,并为一名特定儿童拟出接下来的活动,把评价归纳为未来计划的一部分。

日期:2 月 24 日	活动:学习操控遥控车沿着一条路线前往商店
儿童:David	教师:Anna
观察:David 很轻易就掌握了操控遥控车的技巧。他与 Andrew 和 Nadid 一起商量路线。他在小组中很有自信,能与其他人合作和轮流做事。后来,他详细描述了他做过什么	
幼儿学习目标(ELGs)(请以 * 号标示与儿童个人学习重点相关的 ELGs) 　　如何操作简单的仪器(KUW) 　　分享及轮流做事(PSED) * 　　作为小组一员工作(PSED) * 　　通过谈话,把自己的思想、意见、感受和事件加以组织、排序和说明(CLL)	
David 接下来的活动:为遥控车绘制更多路线。往后数周,会安排他与其他小朋友成对或成组一起工作	

(实例改编自《基础阶段课程指引》)

以上文献不能涵盖计划的各个方面,但希望以上所举的两个实例能说明观察儿童、根据并为了儿童的体验制定计划,以及评量他们的学习历程在英国是受到何等重视。

ECERS 作为自我评价和改进的工具

ECERS－R 和 ECERS－E 不仅可在教育机构中用来改进实践,还可以用来说明机构和州/联邦当局在以下方面下了什么功夫:

- 自我评价。
- 反思措施。
- 计划发展。

机构层面的改进

英国"学前教育的有效性"(EPPE) 研究把 ECERS－R 和 ECERS－E 所量度的教育品质与一般 3—5 岁儿童的认知及社会性发展加以联系。自从这项研究发表以来,不仅在英国,即使在整个世界范围内,希望使用 ECERS－E(对预测儿童的认知发展特别有效——见"ECERS－E 介绍")的要求如浪潮般向我们涌来。我们问大家想用这个量表来做什么,大多数人回答说希望用来为他们的幼儿教育机构进行自我评价或者用作研究工具。

作为一个团队,我们一起讨论:如果大家没有接受过培训就去运用这些量表会产生什么后果。有些机构的教师整体专业训练可能有限,他们运用这些量表令人担心。在这种情况下,我们确信十分需要批判而具建设性的支援。我们同时忧虑由于缺乏外界认证和考核,教育机构会没有经过真正的比较就把自己评定为良好、优良或需要进一步发展。

由于上述的忧虑,我们在为期三年的"早期卓越表现评估"中采用了 ECERS－R 和 ECERS－E,为两所英国教育中心进行评估。它们分别是德比郡的 Gamesley Early Excellence Centre 和伦敦的 Thomas Coram Early Excellence Centre(Siraj-Blatchford, 2002a, 2002b)。在它们的校长和资深教师的支援下,两所中心都使用 ECERS－R 和 ECERS－E 作为自我成长的工具。

首先,所有教师就何谓"品质"进行了一整天的培训,探讨了品质的普世意义和因文化而异的意义,比如尊重儿童或不伤害、殴打儿童。受过训练的研究员/量表使用者利用 ECERS－R 的录影和哥伦比亚大学师范学院出版社出版的培训指南(Harms & Cryer, 2006)向教师介绍 ECERS－R 和 ECERS－E,并进行培训。

教师们有时间去比较和讨论他们的判断,然后两人一组尝试使用其中两个量表。在一节半天的跟进课中,他们汇报各自的发现,包括一致和分歧的意见。

三年当中,教师经常就他们对量表的讨论和使用进展作出报告。他们发现先给设备和布置之类挑战较小的子量表评分会比较容易。他们继而认识到真正的讨论会产生最有用的结果。这些讨论使他们对"良好的教育实践"有了共识。教师们建议每一位评分员讨论他们的评分(一同观察,各自评量),然后马上比较分数,并讨论何以他们的观感有时会不同。随着教师在评分和讨论方面自信日增,他们对自己机构及其实践方法的要求也开始越趋严格,有时还会对量表的某些方面提出尖锐的意见。所有这些都被视为具有建设性,因为他们的观察大都演变成积极的行动。例如,Thomas Coram EEC 在"语言和推理"方面自我评价后,决定采取下列行动。

6 个月内:

- 为所有教师提供在职培训，主要让他们利用开放性问题拓展儿童的谈话。
- 在 3—5 岁儿童的课室内设立聆听区。

一年内:

- 多订购一些打扮用的服饰，为社交戏剧游戏提供款式更多、品质更好的衣服。

同样，Gamesley EEC 在完成"个人日常照料"的评价之后，教师们就"问候和道别"这个环节作了一个决定。虽然教师们认为幼儿园在问候家长和孩子方面很有条理，但有些孩子因为下午离园，所以错过重要的故事时间，部分老师对此表示关注。此外，教师们又觉得他们没有足够时间与家长交谈和分享信息。

"**一切都很匆忙。**当幼儿教师各自进入不同的课室主持小组/故事活动时，家长们也要到处寻找自己的孩子。"(Lynn Kennington, Head teacher, Gamesley EEC)

教师们对如何改善离园的安排进行了热烈的讨论。

采取的行动:下午班孩子到园和离园的时间有了改变。过去是下午 12:45 开始，3:15 结束。现在，他们到园后先不分组参加故事时间，而是将全园所有小组聚集一起进行大组故事活动。教师轮流当值诵读故事，上午班的家长则可以在此接孩子。这样，家长就知道可以在哪里找到自己的孩子，而不当值的教师也可利用这空档与家长交流孩子的情况。结果故事时间不再被打断，教师和家长也有了谈论孩子事情的机会。

这两个中心都记录并讨论了 ECERS－R 和 ECERS－E 中的例子。他们赞同某些做法并加以实施。他们密切注意作出的改革，记录并重温改革的结果。这种发展性的工作使教师可以反思、计划和监察儿童的福祉和学习，现已成为两个中心持续发展计划和政策的一个不可分割的部分。

两年后，中心校长同意接受校外验证。另一位经过培训、之前对中心没有认识的研究员来到中心，使用 ECERS－R 和 ECERS－E 对它的环境品质进行评价。两个中心在两套量表上都平均取得 6 级，位置在良好和优良之间。它们将继续使用这两套量表，并打算采用《婴儿学习环境评量表》(Infant and Toddler Environment Rating Scale, 简称 ITERS) 进行自我评价，发展 3 岁以下儿童的教育。

以上的经历告诉了我们什么？当两位校长接受访问作为机构年度评价的一部分时，都说非常认真对待评估。研究员问 Thomas Coram 中心的校长 Bernadette Duffy 为什么她会在中心进行此项尝试，她说:

这关乎客观需要足够的勇气，这关乎自我批判及待己以严。

Gamesley 中心的校长 Lynn Kennington 说:

讨论的过程是最棒的，我们取得很高的分数，但是我们能做得更好。作为员工我们并不就此满足，觉得我们能够走得更远。

很明显，只要符合下列标准，学前教育中心或入学班(义务教育第一年)就能有效地使用 ECERS 作为自我评价和改进的工具。

- 就品质标准(定义和文化差异)、量表运用和量表的角色等方面提供严格训练。

- 教育机构内需要有足够具反思能力的工作者。
- 需要一位具批判精神的朋友支持这行动(一位熟知情况的人士,例如当地政府的顾问或高等教育的代表。以 Gamesley 和 Thomas Coram 中心为例,它们的外部评审员便同时充当它们的批判性朋友)。
- 愿意接受校外验证:由一名训练有素的、可靠的评审者对教育机构进行"盲法评估"。

我们非常感谢 Gamesley 和 Thomas Coram 中心的校长和教师为使用 ECERS 付出时间和努力,并且帮助我们了解教育机构可以如何善用 ECERS 作为自我评价的工具。

州/联邦层面的改进

ECERS－R 和 ECERS－E 为教育界的领袖及工作者提供了一套有效的工具和一条清晰可循的途径,可以帮助他们推行改善质量的工作(参看 Mathers 等,2007)。这对受教育标准办公室监管的英国教育机构来说尤为重要。等待检查期间,幼儿教育中心的主管必须以"自我评价表"(SEF)提供资料,而 ECERS 对帮助他们编写"改进过程"极为有用。但这些量表同样可以令州/联邦层面的幼儿教育行动和计划大大受益。在英国,ECERS－R 和 ECERS－E 被广泛用于支援下列行动:

- 品质提升和自我评价:为跟中心合作的顾问提供工具,借以找出改善的重点。
- 品质保证:作为一个品质保证的框架独自使用,或配合现有的评估系统一起使用。
- 审计:通过描绘出州/联邦层面的品质趋势,提供有关层面的资料,以便制定支出、培训及支援的优先次序。
- 量度变革:例如评估新措施的影响。

以下阐述两套 ECERS 在地方层面的有效运用。英国分为 154 个地区,这些地区被称为"地方当局"。虽然所有地区都须遵守全国性的针对幼儿教育机构的法律和规则(例如,全国课程、全国安全规则等),但在管理及推行时地方享有一定的灵活性。这跟美国的情况相当不同,因为美国各州可以设定自己的标准,因此灵活性也就更大。NAEYC(全美幼教协会)有一个认可的全国性计划,但参与计划纯属自愿。有些联邦计划则通过直接拨款给州政府或减免税款的方法,向作出扩展及改善的幼儿教育和保育机构提供金钱援助。最终这可能导致州与州之间形成一套更连贯一致的标准。

英国地区政府目前运用 ECERS 的方式,正好说明可以如何在州的层面使用量表。可参看下面两个例子,其一是德比郡地方当局。德比郡坐落在经济相对落后的英国北部。2007 年,郡内 5 岁以下的儿童人口有 40 000(全国统计办公室,www. statistics. gov. uk)。德比郡的督察们与教育中心携手进行审计,采用了 ECERS－R 和 ECERS－E 作为品质改善的工具。当局受量表的国际声誉吸引,打算分阶段把量表推向郡内的 300 所公立学校和另外 300 所私立、志愿和独立机构,现在正值推行的第一年。"我们认为量表是鼓励学校及机构作出反思的下一步,也是增强教师知识和信心的一个方法。它们是工具,可以让教育中心……清楚知道自己擅长什么,需要改变什么以及如何达到目标。"(德比郡理事会,教育发展部高级顾问 Sue Ricketts。)

萨里郡地区政府位于较富庶的英国南部,2007 年郡内 5 岁以下人口为 52 200(全国统计办公室,www. statistics. gov. uk)。同样,萨里郡地区政府的早期儿童及儿童照顾服务也使用 ECERS－R 和 ECERS－E 作为审计工具,以制定机构的工作目标和量度及其改善措施。这次全郡的审计涉及 500 所私立、志愿和独立机构。希望中心的主管与教师商议后,能够运用这些量表订立目标及制定提高教育品质的行动方案,作为自我评价的一部分。

不管是在地区政府的层面还是在教育机构的层面,ECERS－R 和 ECERS－E 的运用都应该是一个透明、包容及正面的经验,使教师们全情投入、充满能力和发挥热情,向优质的教育迈进。

读写

不足		最低标准		良好		优良
1	2	3	4	5	6	7

项目(1):环境中的文字 *

1.1 儿童看不到附有图像的标签。* D

1.2 环境中没有展示与儿童有关的文字。D

3.1 儿童可以见到一些附了图像的标签。* D

3.2 儿童可以很容易看见一些附了标签的东西或物品(如:架上的标签、衣服挂钩或图画上的儿童姓名、标明"笔"或"铅笔"的容器)。*

3.3 有显眼的文字(如:门上的"欢迎"牌;美劳作品的题目;角落名称,如:美劳角、玩沙/玩水角等)。* D

5.1 儿童看见许多附有图像的标签,显示出一个丰富的文字环境。* D

5.2 鼓励儿童辨认环境中的文字(如:儿童自己的姓名、食品包装、购物袋等日常用品上的文字)。*

5.3 鼓励儿童辨认环境中的字母(如:教师引导儿童注意他们姓名中的个别字母,或环境中其他词语的字母)。*

7.1 与儿童讨论环境中的词语,而且经常提及儿童会产生兴趣的事物。*

7.2 讨论口语和书面语的关系(如:讨论如何读出儿童衣物上的文字)。*

7.3 除儿童的姓名外,还鼓励他们辨认环境中的其他字母/文字(如:标签或海报上的文字)。*

* 注释：

项目(1)：环境中的文字指儿童身处环境中的所有文字，包括附着或张贴在对儿童有意义的物件上的文字。这些文字的意思须与相应的物品有关，如贮藏箱标记(包含所藏物品的图画及名称)、架子/挂钩上的标签、包装/衣服/购物袋上的文字、简单图示(如"请洗手")等。文字可以手写或印刷。

如文字是教学资源的一部分(如书本、游戏、字卡)，便不能视作环境中的文字，因为它们没有辅助说明文字意思的作用。针对教师而非儿童的文字亦不应计算在内。

"附有图像的标签"(1.1/3.1/5.1)：不附图画的文字不算。图画必须附有与图画内容相关的简单文字(如汽车海报有"车"字等、抽屉上贴有说明内容的图画及文字标签)。字体必须够大，使儿童能够在一定距离外仍可辨认/读出来。

3.1 须有两个或以上不同的例子。

3.2 须有两个或以上不同的例子。

3.3 文字可高于视平线，但儿童应可容易看见。

5.1 要有最少五个或以上不同的例子，并可让儿童轻易看见。观察员认为这是一个丰富的文字环境，方可予以肯定。

5.2 须观察到教师明显地鼓励儿童辨认环境中的文字(最少要观察到一个例子)，或能从每日常规活动中看见教师鼓励儿童辨认环境中文字的证据(如：自行报到系统——儿童找出自己的姓名，然后将之贴在布告板上以示自己出席)方可予以肯定。

5.3 要观察到至少一个例子显示教师刻意地引导儿童注意英文字中的字母。

7.1 引导儿童积极参与讨论，内容应具延伸性而非顺便一提便算。要观察到最少两个例子，其中一个必须涉及儿童显然会产生兴趣的一件物品(如：一位小朋友的T恤、同学寄来的明信片或小朋友从家里带到学校的一件物品等)。

7.2 必须让儿童积极参与讨论。最少要观察到一个例子。

7.3 要观察到至少一个例子显示教师鼓励儿童辨认环境中的文字，并最少有一个例子显示教师鼓励儿童辨认文字中的字母方可予以肯定。

不足		最低标准		良好		优良
1	2	3	4	5	6	7

项目(2):图书及读写区

1.1 图书并不吸引人。*

1.2 图书不适合儿童的年龄。*

3.1 供应一些不同种类的图书给儿童取阅。*

3.2 在房间中划出容易进入的范围放置图书。*

3.3 一些阅读活动于图书角内进行。*

5.1 儿童可取阅多类图书。*

5.2 儿童自行使用图书角。*

7.1 舒适的图书角(设有地毯和靠垫或舒适的座位),并有大量风格和内容多样化及程度不同的图书。*

7.2 教师鼓励儿童使用图书及图书角。*

7.3 除图书角外,其他学习角亦备有图书。*

* 注释：

1.1　这里指的是图书本身而非展示图书的方式。如百分之五十或以上的图书已经损毁，评"是"。

1.2　如百分之五十或以上的图书不适合儿童的年龄，评"是"。

3.1　合适类别包括：绘本/故事书、参考书/资料书、诗歌/童谣、数数/识数书。不必齐备所有类别，但儿童每天应可接触两个类别，各有三至四种图书。

3.2　图书角可于一天中的某些时间用来进行其他静态活动及/或全班活动，但一般应为有目的的图书阅读活动而设。

3.3　可以是全班或小组/个别儿童的非正式阅读，有或没有教师陪读均可。这个指标关注的是图书角的使用程度有多全面；假如在其他地方使用取自图书角的书籍，便不计分（如：在等候点心时，儿童从图书角取图书到餐桌上阅读）。

5.1　合适的图书类别可参阅 3.1。图书可以是商业刊物或自制品。每天每个类别应最少提供三种图书让儿童取阅（观察员应根据图书角于某一时间的最高出席人数作出判断）。此外，所选用的图书应包括大量载有文字的书籍，图书的深浅程度亦应有所不同，以便兼顾不同能力的需要（如：有些图书较简单，有些较复杂；并应为不同种族的儿童提供双语教材/图书，以及不同语言的图书）。

5.2　须观察到至少两个（不同的）例子。但观察员亦应根据组别的大小来判断儿童是否经常在没有成年人的协助下自行使用图书角。儿童进入图书角的目的必须是选取及阅读图书，而非进行其他活动。

7.1　除了指标 5.1 所要求的多种类别外，本指标更要求每类图书亦须多样化以迎合儿童不同的兴趣（如：有关科学、交通工具及不同文化/信仰等主题的资料书；讲述动物、人物或幻想的生物的故事书等）。图书的大小及格式应有变化。图书在配合不同年龄发展需要这方面的变化应比指标 5.1 所需的更大，图书角应放置很多难易程度不同的书籍，须包括简单的纸板书、多图少字的书籍，以至页面文字较多或具有其他较多复杂特色的书籍（如：附图表的参考书）。

7.2　须观察到至少一次。

7.3　图书角以外至少应有两个区域提供书籍，而且图书须与该区的学习或游戏体验有关（如：于识数角放置数数图书）。

不足		最低标准		良好		优良
1	2	3	4	5	6	7

项目(3):教师与儿童一起阅读

1.1 教师很少为儿童诵读。*
P, Q

3.1 教师每天与儿童一起阅读。* P, Q

3.2 阅读时段内儿童有一些参与(如:鼓励儿童一起读出文本中重复的词语或短句、教师与儿童分享图画或提出简单的问题)。*

5.1 儿童积极参与阅读活动,并经常就词语和/或故事进行讨论。*

5.2 鼓励儿童思考"假如"、"为什么"等问题,及/或把书中的内容与其他经验联系起来。*

7.1 进行有关书刊内文字及内容的讨论。*

7.2 有足够的辅助材料让儿童自行投入故事(如录音带、互动设置、手偶、电脑游戏等)。* D

7.3 有证据显示教师与一些儿童进行一对一的阅读。*

* 注释:

1.1 若在观察期间未见教师与儿童进行阅读活动,日程中也没有列出每天的阅读时间,评"是"。

3.1 若在观察期间看到两个或以上的例子,显示教师与小组或个别儿童进行非正式阅读,应予以肯定。另外,如果有证据显示全部或大部分儿童每天都参加经过策划的阅读活动,即使这些活动在观察时段以外进行,包括全组阅读或经过策划的小组活动时间,均应加以肯定。

3.2 观察到至少一个场合教师与儿童一起阅读才可得分。如观察了几次阅读活动,须大部分时间都有儿童参与,才可得分。

5.1 观察到最少一次。如观察了几次阅读活动,必须大部分时间都能观察到这种情况。

5.2 例子可包括教师提问:"你认为这角色下一步会怎样做?"或阅读一本有关宠物的资料书时问:"你们谁家里养了宠物? 你怎样照顾它们?"如观察了几次阅读活动,必须大部分时间都能看到这种情况。

7.1 观察到最少一次,才可予以肯定。

7.3 须观察到数个例子,清楚说明教师与个别儿童进行非正式阅读是日程中的经常活动。

不足		最低标准		良好		优良
1	2	3	4	5	6	7

项目(4):文字的发音 *

1.1 很少或完全没有诵读或唱儿歌或诗歌。* P, Q	3.1 教师经常为儿童诵读或唱儿歌。* P, Q	5.1 引导儿童注意歌曲/儿歌中的押韵成分。*	7.1 注意到单字中的音节(如:通过拍手游戏、跳跃等)。* P
	3.2 鼓励儿童诵读及(或)唱儿歌。*	5.2 引导儿童注意单字中首字母的语音。*	7.2 有时注意到字母与语音的关系。* (P)

* 注释:

项目(4):儿歌包括童谣及其他押韵的歌曲、诗歌、电脑的押韵游戏、涉及儿歌的纸牌游戏、押韵图书或包含儿歌的拼音活动。在小组或全班活动中诵读或唱儿歌也可得分。若以歌曲作为证据,则只有押韵的歌曲才可得分。教师必须积极参与,如儿童只是自行聆听录音带的歌曲或儿歌便不应予以肯定。

1.1 若证据显示每星期诵读或唱儿歌少于两或三次(如:每星期只计划一节唱游时间,并且在观察时亦未见到任何非正式歌唱活动),评"是"。

3.1 "经常"意指每日。若证据显示每天都有经过计划的歌唱或诵读儿歌的环节,供全班或大部分儿童参与,即使活动发生在观察时段以外,亦可得分。视乎参与儿童的人数,活动可以小组而非全班的形式进行。如计划中没有每天进行的集体唱诵活动,须在观察中见到至少两个与小组或个别儿童非正式利用儿歌的例子(如:歌唱、押韵图书)。

3.2 就此水平来说,教师无须刻意引起儿童对音韵的关注才予以肯定。如观察到儿童经常参与歌唱或阅读押韵图书的活动,可予以肯定。

5.1 须观察到至少一个例子。

5.2 最少须观察到两个例子。教师须特意引导儿童关注单字的首个语音,并大声说出那些字(例:让儿童注意到"bat"及"ball"的第一个字母相同。教师可以说:"它们都用'b'开头,你听到吗?你能想到其他用'b'开头的词语吗?")。

7.1 须在观察中见到这种情形才可予以肯定。若当天未能观察到任何例子,则须在供查阅的教案样本中找到最少两个例子。

7.2 观察员须见到两个例子,显示教师把字母和语音联系起来,或只见到一个例子,再在查阅的教案样本中找到两个例子,方可予以肯定。例子可以包括凸显字母与语音关系的拼音习作,或教师协助儿童写出他说的一个词语。

不足		最低标准		良好		优良
1	2	3	4	5	6	7

项目(5):萌发期书写*

1.1 没有让儿童从事萌发书写的物料。*

1.2 儿童从未看过教师写下他们(儿童)所说的话。* D, R

3.1 儿童可取用书写的用具(如:铅笔、粗头墨水笔、粉笔等)。

3.2 儿童可取用纸张或其他适合书写的物料(如:便条簿、黑板、小白板)。

3.3 儿童有时看到教师写下他们所说的话。* D, R

5.1 校内设置一个萌发书写的地方(如书写角)。*

5.2 儿童经常看到教师写下他们所说的话。*

5.3 鼓励儿童尝试用"书写"形式与别人沟通(如:自制书本、为"餐厅"写菜单、为自己的图画加上标签)。

7.1 除了铅笔和纸张,书写角设有题目,鼓励儿童"书写"(如:办公室)。

7.2 教师让儿童注意到书写的目的(如:在信封上写地址、准备购物清单、写故事)。* D, R,(P)

7.3 展示儿童的书写萌发作品供他人观看。* D

* 注释：

项目(5)：所谓"萌发"或"发展中"的书写，意指儿童自行尝试把口语转译成书面形式。在起初阶段，书写可能只是一些线条或文字的雏形，但儿童通常能回答他/她写了什么。随着儿童的技巧渐趋熟练，字母或数字的痕迹便开始在似乎随意的记号中出现。儿童临摹教师的书写不能视作萌发书写。

1.1 一天里，儿童至少可在某段时间接触到书写的物料，否则评"是"。

1.2, 3.3, 5.2 观察员须检查陈列品及儿童的记录/发展档案，以证明教师用书写形式记录儿童的口语，例子可包括展示的儿童美劳作品下端附有儿童书写的文字作为标题。

——1.2 及 3.3 也可采用记录或展品作为凭证。

——须在供查阅的材料中找到一个例子，指标 1.2 才可评"是"。

——须要两个例子，指标 3.3 才可评"是"。

可是，由于无法确知教师所写的东西出自儿童之口，故采自记录/展品的凭证并不足够。

——观察员须见到至少一个例子，显示教师写下儿童口述的语言，指标 5.2 才可得分。

5.1 必须有一个(或多个)指定地方提供适合物料及空间让儿童书写，儿童取了书写物料却须往其他桌子使用便不足够。此指标要求提供较多元的物料来鼓励儿童绘画和书写(如：在书写角内设置圆珠笔、铅笔、蜡笔、便条簿、间尺、日历和日记本等；在扮演角的商店内备有购物清单、价格标签、商品目录、铅笔和便条簿等)。

7.2 例子可包括与角色扮演有关的书写(如：在邮政局内为包裹加上标签)或儿童为活动环境增添文字(如：儿童为自己的抽屉或展览的作品写标签)。若当天未能观察到一个有目的的书写活动，观察员须寻找证据，说明这类活动曾经发生(如陈列的物料)。须要在查阅的展品及记录中找到最少三个有目的的书写例子。虽然也可从教案中寻找佐证，但因观察员不知道老师如何实践教案，所以不能单凭教案给予肯定。

7.3 若儿童的书写只是临摹/印抄教师所写的字，则不应加以肯定。

不足		最低标准		良好		优良
1	2	3	4	5	6	7

项目(6):说话及聆听

1.1 很少鼓励儿童或给予他们机会与教师说话。

1.2 教师的说话多属管教性质。*

3.1 教师与儿童有些对话(如:与个别或一组儿童谈及进行的活动、提问简单的问题、回应儿童的意见)。

3.2 容许儿童在教师有限的干预下交谈(如教师只提是/否式的问题,或提供单字的答案)。

5.1 教师策划儿童感兴趣的活动,借以鼓励儿童交谈和分享想法。* (P)

5.2 鼓励儿童较详细地回答问题(要求一个字以上的答案)。*

5.3 教师经常主动引起话题,营造一对一的机会与个别儿童交谈。*

7.1 教师运用"鹰架"方式与儿童交谈。*

7.2 教师经常鼓励小组儿童互相交谈,并鼓励其他儿童聆听。* P

7.3 教师经常以开放式的问题,借谈话拓展儿童的语言(如:"如果……你猜会发生什么事情?""你是怎样做……的?")*

7.4 鼓励儿童发问。*

1.2　如教师的讲话大都关乎管理生活常规、活动或行为,评"是"。

5.1　这个指标评量教师在计划谈话活动方面有多全面。活动须凸显沟通和分享意见。"非读写"活动(如科学实验)若把计划的焦点明确地放在讨论上,可计算在内。适当的计划包括为特定活动列出关键词语/问题,或在开展一个主题时与儿童进行"头脑风暴"以收集儿童的意见。与所有项目一样,采用教案作为例证时必须小心审慎;并且要观察到最少一项有计划的活动,用来评估教师如何有效地运用体验来鼓励儿童交谈。若非如此,则不应予以肯定。

5.2　如提问所要求的答案比"是"和"否"详细,便可予以肯定,但问题的难度不一定比指标7.3所要求的高(如,教师可能会问儿童:"你会把哪些动物放进家畜栏?"或"你会穿什么衣服参加明天的派对?")。所需例子的数量没有规定,但观察员应听到足够的证据以肯定这类提问经常出现。

5.3　须观察到数个例子,而且与个别儿童的对话应在几种不同情况下进行(如:在处理日常事情时、在教师带领的活动中、在儿童主导的自由游戏中)。此水平的对话内容应比指标3.1要求的更为广阔,且教师与儿童的对话应包含数次来回应对。

7.1　运用"鹰架"概念为儿童的讲话建构一个"框架"。若观察到教师与儿童对话时接纳及扩展儿童的语法,可予以肯定(如:儿童说:"你看!豆子在生长。"然后教师回应:"对呀!它们长得真高。你猜它们会长到多高?")。所需例子的数量没有规定,但观察员应听到足够的证据以肯定教师经常运用提问或策略性的评语扩展儿童的思考。

7.2　这项指标强调的是小组,在给予分数时,全组讨论或围坐谈话时间不应计算在内。儿童的交流应比游戏活动时的简单讲话更有重心。例如可包括儿童谈论他们绘制的一幅图画,或回想一次校外活动的经验。若教案用作证据,则证据应显示教师鼓励儿童互相聆听,而观察员对谈话的质素也感到满意(其他观察所得的证据亦应支持这结论)。

7.3　所需例子的数量没有规定,但观察员应听到足够的证据以肯定这类提问经常出现。

7.4　须观察到至少一个明显鼓励的例子。此外,如儿童自发提问,教师应以鼓励及尊重的方式回应(如:给时间让儿童提问、感兴趣地回应问题)。

数学

不足		最低标准		良好		优良
1	2	3	4	5	6	7

项目(7):数数及其应用 *

注意:必须完成项目(7)及项目(8)。完成这两个项目的评估后,可选择项目(9a)或项目(9b)作为证据。应选择观察中最明显的一个项目。完成此数学子量表可能需要参阅教案记录。

1.1 儿童甚少参与含有数数元素的活动或日常程序。* P, D, R, Q

1.2 鼓励儿童参与数数活动的资源很少(例如:坚果、贝壳、纽扣、数字书及游戏)。*

3.1 跟儿童进行一些数字活动,及利用一些数字图书、游戏、歌曲或儿歌。* P, D, R, Q

3.2 日常程序中提及数字。*

3.3 数学教材包括一些鼓励儿童参与数数活动的物资(例如:印有数字的海报、数数用的套装物件、图书、游戏或其他资源)。* D

5.1 经常利用歌曲、儿歌、数字书及/或游戏跟儿童进行数字活动。*(P),(D),(R)

5.2 鼓励儿童数物件并将口述数字联系数值概念(例如:点算现时有多少名儿童回到学校、数出6盒牛奶给6名儿童、请一名儿童点算他们用了多少块积木盖成一座塔)。*

5.3 教师使用序数(第一、第二、第三……)与儿童一起工作。*

7.1 积极鼓励所有儿童在不同情况下(例如:玩假想游戏、吃茶点、分享乐高玩具的时候)点算物件的数目。*

7.2 策划室内及户外(或校外)活动,鼓励儿童进行一一对应。* P

7.3 教师在课程计划中加入与儿童一起进行的特定数数活动(例如骰子游戏、接龙游戏、数字配对数字或数字配对图画)。* P

7.4 设有完善的数学角,里面有数字游戏、数数用的物件以及图书。*

注释：

项目(7)："数字活动"可包括数数歌/儿歌、数数图书、数数游戏、包含数数的电脑或互动电子板程序，以及数学资源的使用，例如全班活动时使用数字线。观察员如发现游戏中偶然出现数数，评分时亦应加以肯定。理论上，若教师将数数变成活动中明显及重要的部分（即不仅将数字顺便一提便算），则任何这类活动都可接纳。活动须切合儿童的文化与发展需要。例如机械式背诵数字或使用工作纸而没有具体经验，则不能当作数字活动的证据。

　　"日常程序"非以游戏为本位，而且其中包括吃茶点或午餐、回到学校、穿上外套并排队外出、收拾清洁等时间。使用数字的常规活动可包括：茶点时点算需使用多少只碟子、数数有多少名儿童回到学校，或是外出时要走多少步才能到达游乐场。

1.1　如有证据显示，儿童以任何方式（即在数字活动或日常程序中）获得合适数数经验的机会每星期少于一次，评"是"。

1.2　若可利用的资源少于三种/套，评"是"。资源不必每天都可取用才能予以肯定。如属套装资源，须具备足够的构件用来进行数数活动。

3.1　"一些"指一星期一次或以上（此水平不要求每天有数学活动）。数字活动的例子请参阅上文。

3.2　须观察到至少一个例子。

3.3　儿童每日能取用最少两样东西，才能予以肯定。

5.1　"经常"指每日。此指标要求观察期间必须看到数字活动才可予以肯定。如观察到最少两个涉及小组或儿童个人自发数数活动的例子，应予肯定。此外，纵使在观察时发现教师错过了其他偶发的学习数学机会，若有证据显示每天都有数学活动让全体儿童参与，仍可予以肯定。在观察期间，观察员无须看到所有类别的

例子（即歌曲、儿歌、数数书及游戏）才可予以肯定。可是，必须透过检视教案、记录及陈列品取得佐证，确保上述各类都曾经选用。

5.2　应观察到最少两个例子。事例可于自由时间或小组活动时发生。必须见到教师鼓励儿童数数。

5.3　应观察到至少一个例子。可于日常活动中寻找应用序数的事例（例如：当儿童在玩轮流参与的游戏时，教师说出第一/第二/第三个玩的小朋友是谁；数一数今天是一星期的第几天）。

7.1　这个水平若要获得肯定，教师应超越一般数数的场合，将数字概念引进更多其他处境（包括正式的与非正式的），以小组、个人及全班的方式进行活动。须在不同的处境中观察到多个例证。

7.2　此项若要予以肯定，须在检视的教案样本中找到最少三个不同活动的例子，明显地鼓励儿童进行一一对应。其中一个例子必须是户外活动或游戏。

7.3　此项若要予以肯定，教案必须显示每星期特别安排有多次特定的数字活动。

7.4　儿童每天都可取用数字游戏、数数用的物件及数字书。

不足		最低标准		良好		优良
1	2	3	4	5	6	7

项目(8):阅读及表述简单的数字 *

1.1 不注意阅读及/或表述简单的数字。* P, D, R

1.2 没有展示书写的数字。* D

3.1 并排展示数字及等量的物件(例如:数字海报中数字"1"的旁边有1个苹果、数字"2"的旁边有2个梨,依此类推)。D

3.2 有些儿童阅读及/或表述数字。* P, D, R

3.3 引导儿童注意书面数字的序列(例如:利用数字线或与儿童谈数字图书的内容)。*

5.1 经常鼓励儿童阅读及/或表述简单的数字。* (D),(P),(R)

5.2 提供帮助儿童表述数字的物品(例如数字图形)。*

7.1 策划包含数字的课堂活动,教师鼓励儿童以不同的媒介辨认及表述数字。* (D),(P),(R)

7.2 把书写数字与实际用途挂钩(例如:在生日卡上写上岁数)。* D, P, R

项目(8)：这年纪的儿童写的数字应属"萌发数字"，即儿童自己尝试以书写方式去表述或记录数字。初期呈现的可能是线条和文字的雏形或简单的数目记录。年龄较大的儿童可能会在家庭角内书写购物清单，并列出各项物品所需的数量。不建议 ECERS－E 年龄组群的幼童练习正规的写数。写数活动应与实际目的及具体经验挂钩（如在戏剧扮演角的店铺内为货物定价），而不是形式化的活动及/或做工作纸。

1.1 如在观察期间，或教案/记录/陈列品中寻找不到证据显示教师引导儿童注意书面数字，或提供机会让儿童辨认及/或表述数字，评"是"。

1.2 数字应该让儿童容易地看见，即在视线水平，或字体够大，在一段距离外亦能看到。

3.2 证据不必来自组内所有儿童。得分准则：观察员须找到至少一个例子，显示一名（或多名）儿童在阅读数字，及/或一个例子显示一名（或多名）儿童在表述数字。例证可以来自观察或检视的材料样本（教案、记录及展品）。

3.3 要观察到至少一个例子。应观察到教师刻意引导儿童注意书面数字的序列，并大声地读出数字，使儿童能将口述数字与书面概念相联系。这可以在全班活动时间进行，或非正式地与小组或个别儿童进行。

5.1 必须在环境中提供机会，容许及鼓励儿童辨认及表述数字（在适当时）。观察员应在环境、陈列品、教案或记录中找出支持的例证，证明这些机会是定时提供的（如非每天，每星期至少三次）。此外，要观察到至少一个例子，显示教师刻意鼓励儿童辨别及表述数字。事例可以在全班活动或儿童自发的游戏中发生。

5.2 这些物品无须每日取用。

7.1 必须最少每周都有经过策划的数字活动，才可予以肯定。此外，观察员须看到最少两个例子，显示教师鼓励儿童在不同处境下或以不同媒介辨别或书写/表述简单的数字（例如在沙上或用颜料画出数字、在电脑上阅读或书写数字、阅读环境中的数字）。

7.2 这项指标要求教师鼓励儿童把数字应用到实际用途上，以呼应儿童的校内活动。如当日未能观察到，也须在检视的材料中找出最少两个例证。

不足		最低标准		良好		优良
1	2	3	4	5	6	7

可选项目(9a) 或(9b)作为证据。应选择观察期间最为明显的项目。

项目(9a)：数学活动——形状

1.1 很少有证据显示儿童有机会体验或学习形状(例:在平时的游戏或日常程序中甚少提及形状,教师没有设计与形状相关的活动)。* P, D, R

3.1 儿童可接触到一些不同的形状。*

3.2 在策划的形状学习活动以外提及形状的名称。*

3.3 形状是有些活动的显著部分。* P, D, R

5.1 儿童可接触到多种不同的形状,教师引导儿童注意形状的名称(例如:圆形、正方形、三角形、长方形)。*

5.2 教师引导儿童注意自己作品中的形状(例如:图画、模型)。*

7.1 提供许多活动及材料,鼓励儿童在不同的处境中辨认形状(例如:美术活动、建构活动、集体活动、假想游戏)。* (P),(R),(D)

7.2 活动所发展和延伸的概念已超越了基本形状(例如:包括平面或立体形状的特性)。P, R, D

7.3 教师鼓励儿童了解不同形状的特性(例如:三角形的三条边),运用此理解完成形状拼图,并把知识应用到新处境中。* D, P, R

* 注释：

1.1 若在观察期间见不到与形状相关的资料,在教案、记录或陈列品中亦没有证据显示过去曾做过形状活动,评"是"。

3.1 任何具有不同形状构件的资源都可计算在内(例如:不同形状的积木、烹调或玩橡皮泥时用的印模,或墙上展示的形状)。每天要提供最少两种物品,才可予以肯定。

3.2 教师无须使用形状的正统名称,予以肯定时,此项亦接受一般名称(例如:管子)。其他与图案相关的语言亦可接纳为例证(例如:"尖的"、"像波浪的")。要观察到至少一个例子,显示教师运用与形状或图案相关的语言,才可予以肯定。

3.3 若观察到一项明显的形状活动,可予以肯定。若以教案、记录或陈列品作为证据,应在检视材料中找到至少两个不同的例子。

5.1 每天须提供充分(五种或以上)的形状资源(例如:一张形状海报、一份形状拼图、一套立体形状组件、一套包含不同形状的积木,以及图书角里一本有关形状的图书)给儿童选择,才可予以肯定。中心可提供其他资源,但儿童不必每天都取用这些资源。他们可接触到的不同形状,也应较指标 3.1 所要求的种类更广泛。除资源的提供外,观察员须听到至少两个例子,显示教师引导儿童注意形状的名称。

5.2 要观察到至少一个例子。

7.1 虽然佐证可在检视的材料样本中找到,但观察当日须见到至少三个例子。

7.3 此处的重点在于应用形状的知识。

不足		最低标准		良好		优良
1	2	3	4	5	6	7

项目(9b):数学活动——分类、配对及比较

1.1 没有鼓励儿童将物件或材料进行分类、配对及比较。*P, D, R

3.1 儿童可取用一些有助于分类、比较及/或配对的物件。*

3.2 儿童至少按照一项可识别的准则(例如:轻重或颜色)进行分类、比较及/或配对。*P, D, R

3.3 教师示范分类、比较或配对,并容许儿童参与。*

5.1 经常安排活动促进儿童发展及延伸分类、比较及配对的技巧(例如:根据多项准则分类、在不同处境下分类、给儿童日常用品分类)。* (P)

5.2 教师清晰指出用作分类、配对及比较基础的特征。

5.3 进行分类、配对、比较或量度时,教师鼓励儿童使用比较的语言(例如:大、较大、最大、大些/小些)。*

7.1 鼓励儿童辨认各组物件的特征,并以这些特征作为准则,进行分类、配对或比较(例如:解释某组物件为何相似,会说:"它们全都是圆形。")。*

7.2 透过各种处境下的不同活动,使用探索分类、配对或比较的语言(例如:按3只小熊的大小排序、使用"较大、较重、较鬈曲"等词语)。*

7.3 鼓励儿童完成一项分类/配对/比较的活动,再用不同的准则(包括儿童自己的准则)重复这项活动(例如:按大小排列帽子,之后按形状排列)。*P

* 注释:

1.1 若在观察期间没有发现分类、配对及比较等活动,亦未有在检视的教案、记录或陈列品中找到证据,证明以往曾经进行过这类活动,则评"是"。

3.1 可用来分类、配对及/或比较的物件包括日常物品,如搜集得来的天然材料(例如鹅卵石、松果、贝壳)及不同形状或大小的资源(如玩沙或玩水用的容器、积木),亦可以是较商业化的数数材料,例如数字熊、可套接的小方块/胶粒,或分类/配对游戏。需要让儿童每天可以取用至少两样物件,才可予以肯定。

3.2 若在观察期间见到儿童进行分类、配对及比较活动(有或没有教师在场均可),可予以肯定。若使用教案、记录或陈列品作为证据,需要在检视的材料中找到至少两个不同的例子。

3.3 要观察到至少一个例子,而且必须涉及教师积极示范或支持分类/配对/比较。这可以是教师已计划带领活动的一部分,或非正式地与少数儿童进行(例如收拾时给儿童示范如何分类;指出两名儿童穿着同样颜色上衣,并请他们找出其他穿着同色衣服的同学;鼓励一名儿童只用红色积木拼砌一座塔)。

5.1 要观察到至少一个事例,并须查看教案,确定活动的规律性("经常"的意思是每周至少三至四次)。

5.3 需要观察到至少一个例子,重点在于教师鼓励儿童使用比较的语言。

7.1 需要观察到至少一个例子。

7.2 需要观察到至少两个不同的例子。

7.3 如当日未能观察到例子,须在检视的材料样本中找到至少一个明显的例子。

科学与环境

不足		最低标准		良好		优良
1	2	3	4	5	6	7

项目(10)：自然材料 *

注意：必须完成项目(10)和项目(11)。完成这两个项目的评估后,可选择项目(12a)、项目(12b)或项目(12c)作为证据。应选择观察时最明显的一项。完成此科学子量表可能需要参阅教案记录。

1.1 室内可取用的自然材料很少(少于3例)。

3.1 儿童可在室内取用一些自然材料。*

3.2 可在户外取用自然材料。*

5.1 自然材料不单用来装饰,还用来说明具体的概念(如培植种子或球茎以说明生长或种子的传播)。* P, D

5.2 经常鼓励儿童探索自然材料的特性。*

5.3 和儿童在一起时,教师对大自然表现出欣赏、好奇和尊重(如对真菌或蠕虫感兴趣,而不是害怕或厌恶)。*

7.1 鼓励儿童识别和探索学校以外的环境中的各种自然现象,并谈论/描述它们。* (P),(D)

7.2 鼓励儿童携带自然材料到校。* D, Q

7.3 鼓励儿童近距离观察自然物体及/或画出它们。* P, D, R

*注释:

项目(10):自然材料包括生物(如植物、鱼、仓鼠等)、收集得来的自然物
件(如鹅卵石、松果、贝壳等)及其他自然材料(如沙和水)。材料应
处于天然状态和可以认得出是来自自然的环境。

3.1 每天可接触到至少五个不同自然材料的例子。可提供其他自然
材料,但不必每天都可供儿童取用(如有些自然材料因安全理由
不能无人看管)。

3.2 每天至少可接触到五个不同自然材料的例子。例子可包括:儿童
可接触的树木,花园/种植区(如香草、蔬菜的园圃),在户外饲养
的动物(如兔子、天竺鼠)。

5.1 如在观察当天看到,应予以肯定。如果只以教案或陈列品作为凭
证,须在检视的材料中找到至少两个不同的例证。在这个水平,
教案须清楚指出要介绍的观念或科学概念(如"在一段时间里观
察蝴蝶、画蝴蝶,以了解蝴蝶的生命周期",而非只是"画蝴蝶")。

5.2 "经常"表示每天。如观察到一个或多个例子,应加以肯定。例子
可包括非正式的讨论(如感觉游戏区内一颗鹅卵石的质感,观察
石块下的小生物)及经过计划的活动(如切开水果观察种子)。

5.3 须观察到至少一个例子。

7.1 须观察到至少一个儿童积极参与的讨论,内容亦须与自然现象/
材料有关。取自教案或陈列品的例证可用来证明儿童受到鼓励,
探索多种自然现象(如天气、小生物、植物、动物、森林/树林漫步
旅程)。教案亦应提供凭证,显示说话经过规划(如关键词汇)。

7.2 若在观察当天看到一个例子(如老师在花园设置了自然小径,并
鼓励儿童找寻物品于小组时间讨论),应予以肯定。若近期的陈
列品反映儿童携带自然材料到中心(如家中的宠物、于秋天收集
的树叶),亦应加以肯定。若未能在陈列品中看到,可向老师提出

一些开放式的问题,例如:"你怎样为你的题目和/或陈列品收集
自然材料?"或"有时小朋友把他们感兴趣的自然材料带来,能否
给我一些例子?"除非能提供具体例子,否则不能予以肯定。

7.3 若在观察当天看到例子,应予以肯定。如果使用教案、记录或陈
列品,须在检视的材料样本中找到至少一个显著的例子(足以说
明儿童近距离观察自然材料受到鼓励)。

不足		最低标准		良好		优良
1	2	3	4	5	6	7

项目(11):自然科学区

1.1 没有科学资源、陈列品、图书或活动的证据。

3.1 提供的科学用品包括几样东西(如磁铁或手持式放大镜)。*

3.2 陈列品显示大自然的变化(如季节)。*D

3.3 儿童能看到的陈列品，可以用来引发他们讨论周围世界中的科学(如有关身体、蝴蝶生命周期的海报)。*

5.1 备有多种科学器材供儿童取用。*

5.2 可以看到各种具有相似及/或相异特性的收藏品(如能滚动、伸长、弹跳、塑胶制的或金属制的物品)。*

5.3 故事书以外，印刷品资源更包括一些科学题材的参考书或材料。*

7.1 提供种类广泛的科学器材。*

7.2 提供各种参考材料，包括图书、图片、图表和照片。*D

7.3 设有宽敞及具启发性的科学角供儿童每天使用。

7.4 除科学角外，其他地方(如户外)也备有科学材料。*

*注释:

3.1 每天可取用至少两种东西。

3.2 这项指标旨在显示教师曾经努力将"户外引入室内"及/或提供一个机会让儿童思考自然世界的转变。

3.3 陈列品须有科学目的(如只是宠物或典型的森林风景海报便不足够)。

5.1/5.2 "器材"指为鼓励科学探索而购置的特定材料(如镜子、镜片、棱镜、放大镜、收集昆虫的容器、调色棒、显微镜等)。

5.1 "多种"不但指每种物品的数量较多(因此几个儿童可同时使用),而且种类也比 3.1 项所要求的要多。每天须要让儿童可取用至少五种器材才能加以肯定。如有证据说明一般玩沙玩水用的物品(如漏斗/容器/塑胶管)用于学习科学上(如探索浮与沉),才可予以肯定。

5.2 须有证据显示收藏品乃根据它们的科学特性放在一起,而非由于颜色相同之类的原因。收藏品不必每天都可接触。

5.3 每天可取用至少五项材料(如五本科学书),才应予以肯定。

7.1 要求如指标 5.1,再加与特定题目相关的较专门科学材料的例子,如颜色(有色透镜、调色棒)、光(棱镜、灯箱)或电(电池、电线)。这些较专门的器材无须供儿童每天取用。

7.2 学校每天应提供所有四类东西,让教师需要时可方便拿来参考。每天供儿童取用的材料选择可以较少(代表其中几类)。图片可以包括海报或其他陈列品。

7.4 例如,在模拟"海边"的游戏角增设有关海边生物的参考书、蟹爪和手持式放大镜,以便儿童进行近距离观察。

不足	最低标准	良好	优良
1　　　　2	3　　　　4	5　　　　6	7

选择项目(12a)、(12b) 或(12c) 作为证据。应选择可以找到最详细证据的项目。

项目(12a):科学活动——非生命*

1.1 没有鼓励儿童探索周围环境的事物,讨论也没有涉及科学词汇和概念。* P, D, R	3.1 教师或儿童进行一些科学探索或实验(如把冰块放到阳光下)。* P, D, R	5.1 教师经常策划实验和介绍适当的科学概念(如材料怎样变化、磁性、下沉和漂浮的物品),由儿童亲手操作材料。* P, D, R	7.1 儿童亲手参与各种探索非生命物料的科学活动。* (P), (D), (R)
	3.2 每天都提到科学词汇和/或概念(如讨论天气,在水盆旁使用"浮"和"沉"等字眼,谈论融化、压力、东西为什么/怎样移动)。*	5.2 教师引导儿童注意材料的特性和变化(如生日蜡烛熔化)。*	7.2 鼓励儿童体验一系列的科学概念/观念。* P, D, R
		5.3 鼓励儿童使用多感官去探索非生命现象,并谈论他们的经验(如触觉、嗅觉和视觉)。*	7.3 教师与儿童讨论材料及其特性。*
			7.4 教师鼓励儿童发问。*
			7.5 教师协助儿童有系统地寻求答案。*
			7.6 鼓励儿童记录科学提问的结果。

* 注释：

项目(12a)：在评估更高水平的教育活动之前，你必须已经观察过教师与儿童之间的互动(如在沙盘/水盆旁或其他活动场地)。评估这些水平的活动需要寻找教师和儿童一起投入科学过程的证据，即仔细的观察、提出问题/作出推测(假设)、实验(看看发生了什么?)、交流和解释结果(为什么会发生?)。

1.1　若没有观察到鼓励探索的例子，在检视的教案、记录及陈列品中也没有找到证据，评"是"。

3.1　若观察到例子，应予肯定。如以教案、记录及陈列品作证据，须在检视的材料样本中发现最少两个不同的例子。例子可包括：研究玩具车在不同表面上运动时的摩擦力，或不同物料的隔热性/吸水性(如哪一种衣料会使娃娃感到最温暖/最干爽?)

3.2　要观察到至少一个与非生命过程有关的例子。例子可在一个经过策划的科学活动或日常非正规的活动或游戏中出现。

5.1　这项指标要求教师规划科学学习。应在检视的材料样本中(教案、记录及陈列品)找到至少四个有关非生命过程的不同例子。在这个水平，教案须明确指出所介绍的观念/科学概念(如"研究磁性及非磁性材料"，而非只说"磁力游戏")。指标的第二部分要求儿童有机会亲手操作材料。

5.2　必须观察到教师至少一次引导儿童注意特性或转变(如吸引儿童留意，地面上的水在炎热的日子里被蒸发)，才可予以肯定。这个水平要求师生的讨论较 3.2 项更具科学性。

5.3　要观察到至少一个例子才可予以肯定。在鼓励儿童运用多于一种感官的同时，亦应鼓励他们以描述性的语言谈论经验(如"这气味像什么?")。

7.1　要观察到最少一项科学活动(如探索磁铁及磁性物体)，才能评估有没有安排亲手操作的活动让儿童参与。不过，观察当日无须所有儿童都参与。此外，应检视教案、记录及陈列品中的证据，从而评估"非生命"活动的多样性(证据亦应显示活动采取"亲身实践"的方式，让所有儿童参与)。

7.2　在检视的材料中，须看到较 5.1 项所要求的范围更广阔的科学概念及观念，才可予以肯定。

7.3、7.4、7.5 至少要观察到一个例子，但一次或以上的高质素互动也可用作 7.3、7.4 及 7.5 的例子。

不足		最低标准		良好		优良
1	2	3	4	5	6	7

项目(12b):科学活动——生命过程*

1.1 没有鼓励儿童探索自然环境中的事物,讨论也没有涉及科学词汇和概念。* P, D, R

3.1 教师或儿童进行一些科学探索或实验(如培植种子、饲养蝌蚪)。* P, D, R

3.2 每天都提到科学词汇及/或概念(如植物生长、昆虫栖息地、生命周期、照料生物)。*

3.3 室内或户外有生物(如植物、鱼、蜗牛)。

5.1 教师经常策划实验和介绍适当的科学概念,儿童亲手操作材料。* P, D, R

5.2 教师引导儿童注意自然界的特性和变化(如蝴蝶的生命周期、老化的过程、花朵的不同部分)。*

5.3 鼓励儿童使用多感官去探索生命现象,并谈论他们的经验(如触觉/嗅觉/视觉)。*

7.1 在适当的情况下,所有儿童都可亲手接触生物。* (P), (D), (R)

7.2 鼓励儿童体验一系列的科学概念/观念。* P, D, R

7.3 教师与儿童讨论植物和动物世界及其特性。*

7.4 教师鼓励儿童发问。*

7.5 教师协助儿童有系统地寻求答案。*

7.6 鼓励儿童记录科学提问的结果。

*注释：

项目(12b)：在评估更高水平的教育活动之前，你必须已经观察过教师与儿童之间的互动(如在户外活动场地)。评估这些水平的活动需要寻找教师和儿童一起投入科学过程的证据，即仔细的观察、提出问题/作出推测(假设)、实验(看看发生了什么?)、交流和解释结果(为什么会发生?)。

1.1　若没有观察到例子，在检视的教案、记录及陈列品中也没有发现证据，评"是"。

3.1　当天如观察到例子，应予肯定。如以教案、记录及陈列品作证据，须在检视的材料样本中发现至少两个有关生命过程的不同例子。

3.2　要观察到至少一个有关生命过程的例子。例子可在经过规划的科学活动或日常非正规的活动或游戏中出现。例子可包括讨论儿童饲养的宠物或观看一只在游乐场发现的蜘蛛。

5.1　这项指标要求教师规划科学学习。应在检视的材料样本中(教案、记录及陈列品)找到至少四个有关生命过程的不同例子。在这个水平上，教案须明确提出所介绍的观念/科学概念(如"观察蝴蝶、画蝴蝶随着时间生长的状态，以了解它们的生命周期"，而非只是"画蝴蝶")。指标的第二部分要求儿童有机会亲手操作材料。

5.2　必须观察到教师至少一次引导儿童注意特性或转变才予以肯定。这个水平要求师生的讨论较3.2项所要求的更具科学性。

5.3　要观察到至少一个例子才可予以肯定。在鼓励儿童运用多于一种感官的同时，亦鼓励他们以描述性的语言谈论经验(如"这感觉怎样?")

7.1　要观察到至少一项科学活动(如培植种子、捕捉及收集小生物)，才能评估有没有安排活动让儿童亲手参与。不过，观察当日无须所有儿童都参与。此外，须检视教案、记录及陈列品中的证据，从而评估"生命过程"活动的多样性(证据亦应显示活动采取"亲身实践"的方式，让所有儿童参与)。

7.2　在检视的材料中，须看到较5.1项所要求的范围更广阔的科学概念及观念，才可予以肯定。

7.3　必须观察到至少一个讨论植物界及一个讨论动物界的例子才可予以肯定。

7.3、7.4、7.5要观察到至少一个例子，但一次或以上的高质素互动也可用作7.3、7.4及7.5的例子。

不足		最低标准		良好		优良
1	2	3	4	5	6	7

项目(12c):科学活动——食物的准备 *

1.1 没有与儿童一起准备食物或饮料。*P, D, R, Q

3.1 有时与儿童一起准备食物。*P, D, R, Q

3.2 一些儿童有机会参与准备食物。*P, D, Q

3.3 在适当的时候进行一些有关食物的讨论(如教师和儿童在茶点时间或烹饪活动中谈论食物。) *

5.1 经常提供准备食物/烹饪的活动。*P, D, R, Q

5.2 大部分儿童有机会参与准备食物。*P, D, R, Q

5.3 教师用合适的语言引导儿童讨论有关的食物(如融化、溶解)。*

5.4 鼓励儿童运用多于一种感官(如触觉、嗅觉、味觉)探索个别的食物材料,及谈论他们的经验。*

7.1 经常提供各种烹饪活动(所有儿童均有机会参加)。*P

7.2 活动的成果吸引人、可食用和受到珍惜(如儿童把食物吃掉或带回家)。

7.3 教师引导和鼓励儿童讨论准备食物的过程及/或向儿童提出相关的问题(如:这之前是什么样子的? 现在像什么? 当中发生了什么事情?)。*

项目(12c):在评估更高水平的教育活动之前,你必须已经观察过教师
与儿童之间的互动——如在茶点时间或烹调活动中。评估这些水
平的活动需要寻找教师和儿童一起投入科学过程的证据,即仔细
的观察、提出问题/作出推测(假设)、实验(看看发生什么?)、交流
和解释结果(为什么会发生?)。

"食物的准备"包括烹饪活动,以及茶点或膳食的准备(儿童可
旁观或参与)。

1.1 若观察期间儿童没有机会观察(或参与)食物的准备/烹饪过程,
检视的教案、记录及陈列品又没有证据显示曾为儿童提供这种经
验,老师(被问及时)也不能提供举行烹饪活动的例子,评"是"。

3.1 可以包括儿童观察一位教师准备食物。如以教案、记录及陈列品
作证据,须在检视的材料样本中找到至少两个例子。

3.2 可以是儿童自发的(如一些儿童帮忙预备茶点或午餐的食物)或
经过预先策划的(如经策划的烹饪活动)。如以教案、记录及陈列
品作证据,须在检视的材料样本中找到至少两个例子。

3.3 要观察到至少一个例子。在茶点或午餐时找到的例子可包括一
个有关烤焦的面包、新做的饼干或儿童带来的食物的讨论。

5.1、7.1 "经常"指大约一至两星期一次(或更频繁)。如准备食物的
活动每一至两星期举行一次(即使并非所有儿童有机会如此频繁
地参与),应予肯定。

5.2 大部分儿童应有机会参与食物的准备,至少一至两星期一次。

5.3 要观察到至少一个例子。这个水平要求师生的讨论较3.3项所
要求的更具科学性。

5.4 要观察到至少一个例子。在鼓励儿童运用多于一种感官的同时,
亦鼓励他们以描述性的语言谈论经验(如"它的气味像什么?")。

7.3 要观察到至少一次。儿童须积极参与讨论,并观察到老师在旁协
助及为儿童的科学语言及学习构建"鹰架"。

多元性

不足		最低标准		良好		优良
1	2	3	4	5	6	7

项目(13)：切合个别学习需要的计划
要求查看个别儿童的记录

1.1 活动没有配合不同年龄、发展阶段或兴趣。* P, Q

1.2 没有书面计划。* P

1.3 书面计划未顾及特定的个人或组群。P

1.4 没有保存记录；即使有记录，也仅描述活动，而非记录儿童在活动中的反应或成就(如：完成的检核清单或儿童作品的样本)。R

3.1 按个别儿童或组别的独特需要，作出一些调整(如：学习上或语言上的额外支援)。* P, Q

3.2 有些书面计划显示对特别的个体或组别作出区分。* P

3.3 书面记录显示教师对个别儿童在活动中的反应或活动的适切性略有认知(如：需双语支援，能够数到 2)。* R

3.4 教师对儿童是个独特个体略有认知(如：以鼓励或赞赏肯定所有不同能力的儿童的表现)。

5.1 因应儿童的兴趣、不同的发展阶段及背景，提供一系列活动，使组内所有儿童都能参与，从而提升他们的学习和成就。* P, Q

5.2 每日撰写计划以制定活动的具体目标，务求活动可以满足每名儿童(个人或小组)的兴趣和需要。* P

5.3 经常观察儿童各个范畴的发展进度，并将记录妥存在其个人档案内。* R

7.1 计划和组织社交活动，让任何发展阶段和背景的儿童，都能按其能力参与独自或合力的工作(如：将不同年龄和能力的儿童配成一对，参加某些工作)。* Q, P

7.2 教案列明教师与个别/一对/小组儿童工作时所担当的角色。计划亦显示儿童的能力强弱不齐，他们对工作或活动的体验也可能各异。* P

7.3 观察和记录儿童的进度，作为制定计划的参考。* P, R, Q

不足		最低标准		良好		优良
1	2	3	4	5	6	7

5.4 教师恒常引导儿童以正面态度看待多元性。*(D)

7.4 教师特别设计活动,引导全班儿童以正面的态度看待差异及能力(如:用正面态度介绍残障儿童、表扬使用双语)。* P, D, R

* 注释:

活动及策划

1.1/3.1/5.1/1.2/3.2/5.2　应有实证显示能因应儿童的年龄、发展阶段及特殊需要(如英语非其第一语言的儿童),为他们提供不同的活动及/或资源。

　　——1.1/3.1/5.1　关乎儿童活动与资源(规划的或非正规的)的提供/调适,以及它们迎合不同需要的程度。

　　——1.2/3.2/5.2　特别评估教学计划顾及差异性的程度有多大。

5.1/5.2　这系列的活动应为所有儿童(如不同年龄/阶段的儿童、以英语为第二语言的儿童)而提供,并非纯为有特殊需要的儿童。

7.1　由于很多时候教师鼓励儿童一起合作完成一个活动的原因并不明显,因此可能需要当场提问。例如说:"你为什么鼓励那些儿童一起合作?"或"你有否鼓励特定的儿童一起合作? 为什么? 可否提供一些例子?"

7.2　教师的指导角色应说明得较详细,而非简单地列出哪位教师负责哪项活动或组别。必须符合此指标中的两项元素(即教师的指导及儿童能力的差异程度),才可予以肯定。

观察及存档

3.3　在此水平,若记录/观察显示教师对个别儿童如何应付活动(或活动的适切性)略为知晓,便可予以肯定。

5.3　如要予以肯定,教师应每周(或几乎每周)以某种形式观察儿童。观察不必正式,可使用便利贴记录具体事件或成就。进度记录无须每周更新。

7.3　如有需要证实,可提出询问(如:请教师提供或出示制定计划时参考的具体观察实例)。

表扬差异性

3.4　若明显看到组内所有儿童经常受到赞赏才可予以肯定。

5.4 此指标关乎表扬组内儿童的差异性。讨论必须较 3.4 项所要求的更为具体(如特别关注儿童成功掌握某项新技能,午餐时小心处理组内某同学不吃肉的讨论,以合宜的方法解释为何某残障儿童须使用特制的座椅)。要观察到至少一个例子,陈列品亦可提供佐证(例如儿童的展品附有特别的评语,赞许其成就)。

7.4 此指标超越组内的儿童,更广泛地表扬差异性。观察员应查核教案,找出规划中包含特意表扬差异和不同能力的证据(如在感知探究的课题涵盖失明及失聪的讨论)。证据亦可见于张贴的资料或儿童的记录。要在检视的材料中找到至少一个特意表扬差异的教案例子,此项才可予以肯定。

不足		最低标准		良好		优良
1	2	3	4	5	6	7

项目(14):性别平等及意识

1.1 图书、图片、小玩偶(如乐高人形娃娃及/或陈列品)虽然 显示性别,但极少挑战性别定型。*D

1.2 教师忽视或鼓励定型的性别行为(如只称赞女孩漂亮,或只称赞男孩强壮)。*

3.1 儿童可接触到一些挑战性别定型的图书、图片、"小世界"人物、娃娃及/或陈列品(如:父亲照顾婴儿、女兵、男女孩都在玩大积木的照片)。*D

3.2 儿童的活动和行为有时超越性别定型(如:男孩在家庭角内烹饪或照顾娃娃、女孩在户外玩大型跨骑乘坐的玩具)。

5.1 许多图书、图片、"小世界"人物及/或陈列品所显示的男女角色均非定型(如:男性儿童工作员、女士在更换车胎)。*D

5.2 参与跨越性别界限的活动乃惯常做法,及/或教师在有需要时会特意鼓励这种做法(如期望所有儿童参加盖房子和跳舞,但不强迫)。*(Q)

5.3 服饰游戏鼓励扮演非定型的角色(如:单性护士或警员制服、中性的服饰如牛仔裤)。*(P)(Q)

7.1 特别引导儿童留意不将男女角色定型的图书、图片、"小世界"人物、娃娃及/或显示非定型男女角色的陈列品,及/或发展特别的活动帮助儿童讨论性别。*P,Q

7.2 教师有信心在讨论时挑战定型的行为和儿童假定的想法。*Q

7.3 聘请男教育工作者参与儿童工作,及/或有时邀请男士到中心与儿童一起工作。*Q

1.1 若很少(或没有)证据显示所提供的资源为反性别定型,例如:在显示性别的资源中,少于十分之一属非性别定型,评"是"。若某类资源供应充足,应可予以肯定(如有大量图书,却没有图片、"小世界"人物、娃娃或陈列品)。

1.2 若观察期间见到几个性别定型的例子(或一个特别明显的事例),或教师忽视性别定型的行为/评语,评"是"。

3.1 整体来说,显示性别的资源若百分之十(或以上)属非性别定型,可予以肯定。五类东西中应可看到两类作为例证,而且可为儿童每天取用。

5.1 整体来说,儿童可取用的显示性别的物品若百分之二十(或以上)属非性别定型,可予以肯定。五类东西中应可看到三类作为例证,而且可为儿童每天取用(虽然不必每一类都有多个例子)。

5.2 观察员须寻找证据,证明所有儿童都可参与活动及使用各个区间,虽然有些活动和区间可能使人联想到某个性别(如:木工台、在家庭角里玩娃娃、动态的大肌肉游戏)。若观察到这些为惯常活动,应可予以肯定。假如发现某项活动似乎为一个性别控制,另一性别遭受排挤,而教师却不采取行动加以纠正(例如:鼓励男孩参与家庭角里的游戏),便要扣分。观察员可能需要提出问题,才能知道是否采用特别的策略(例如:是否划出特定时间让女孩子玩动态的大肌肉游戏)。不过,除非提问获得非常具体的答复,否则此项评分应以观察到的儿童及教师的行为作为根据。

5.3 观察员若发现中心存有可用来做扮演游戏的衣饰,儿童却不能每天取用,便应查看教案或提问,以了解儿童每隔多久才可取用。儿童若每星期可取用非性别定型的服饰两次或以上,可予以肯定。

7.1 若观察到一个或以上的例子,可予以肯定。能观察到的例子可包括看到教师诵读及讨论像 *The Paperbag Princess* 或 *Mrs. Plug the Plumber* 等挑战传统角色定型的故事。若看见有非定型性质的书籍和资源而教师没有使用,可提出非引导性的问题,如"你选择这些资源是否有特别原因?"或"可否举例说明你怎样运用这些书籍/资源?"若能在活动计划中找到明显的证据,证明教师帮助儿童讨论性别问题(在检视的教案中见到最少一例),亦应予以肯定。

7.2 若观察员看不到实例,可通过提问给此指标作出评估。(如:"假如一名儿童说女孩子不可以玩工具,因为修理是男人的工作。你会怎样做?")观察员亦可以查询,当遇上儿童说一些带"性别歧视"的话时教师如何处理。除非提问获得到十分具体的答案,否则应根据观察所得评分。

7.3 假如学校没有聘用男教师,但每年至少三次邀请男士到来中心跟儿童一起参与活动,可予以肯定。

不足		最低标准		良好		优良
1	2	3	4	5	6	7

项目(15)：种族平等及意识

1.1 在图书、图片、玩具人物（如乐高人物）、娃娃及陈列品中极少看到我们社会或更广阔世界中种族的多元性。* D

1.2 儿童可以看到负面的、定型的或冒犯性的形象（如：非洲人以定型的、威吓性的形象出现，北美印第安人拿着斧头的威吓形象）。D

3.1 儿童所用的玩具、材料或资源有时来自多数民族以外的文化。* P, D, R

3.2 图书、图片、"小世界"人物、娃娃及/或陈列品显示不同族群的人。* D

5.1 儿童所用的玩具、材料或资源取自各种文化。（如：各种既适切又非定型的扮演服饰、用来玩扮演游戏的烹调和进食工具、乐器）。* (P)

5.2 有些图书、图片、"小世界"人物、娃娃及/或陈列品显示不同族群的人，而且角色没有被定型（如：穿着上衣西裤套装的科学家、医生、工程师、办公室员工）。* D

5.3 有些形象或活动告诉儿童，他们与来自其他文化群体的人有很多共通之处(如：形象强调生理方面的相似，或礼仪和日常活动方面的类同)。* P, D

7.1 教师为促进文化了解而制定活动（如：引导儿童注意人和物的异同，经常把不同文化引入研习活动或单元主题，访客及表演者反映各种文化）。* P, D, R, Q

7.2 设计特别的活动促进对差异的了解（如：将颜料混合成皮肤的色调，通过视觉显示差异的细微度）。* P, D, R, Q

7.3 聘用或邀请具多种文化或语言背景的教育工作者到中心来与儿童工作。Q

不足		最低标准		良好		优良
1	2	3	4	5	6	7

5.4 当中心某儿童或成人表现出偏见时,教师适当地介入。*Q

*注释:

1.1/3.1/5.1　资源应显眼地展现,并在儿童经常使用的地方。

3.1　在这水平,提供的物资不需每天都陈列出来,但须找到证据证明中心有时使用的库存/借来的玩具或资源(诸如烹调用具/食物、装扮用的衣饰、真实的或仿制的乐器),乃来自其他文化。举例来说,中心备有多箱物品用来庆祝一年中不同的节日,或者儿童可以取用家庭角内代表不同文化的物品。某些时候应提供主流文化以外至少两种其他文化的物资(但不需每天)。若到访当天没有可取用的玩具或资源,则须从库存的物资,以及教案、陈列品及/或记录中找寻证据,证明这些材料是可找到及经常使用的。

3.2　资源须代表多个(如至少三个)不同民族、文化及/或宗教团体,而且列出的五个类别(即图书、图片、"小世界"人物、娃娃及陈列品)中应找到两类例子。若组内儿童种族各异,他们的照片也可计算在内。在这个水平,有一些标志性或典型的图像,如其他族裔只以民族服装示人、非洲人只出现在传统的农村环境中、黑人娃娃拥有白种人的特征、在挑选的图书中有描写一个文化(如非洲的本土生活和风景)的项目,但没有关于文化接触(如非洲儿童生活

在西方社会)的故事及图画,也可予以肯定。如果图像含冒犯性,则不能予以肯定。

5.1　若有证据证明表扬其他文化/节日不仅是偶一为之的活动(这种活动可以是象征性的,并可在指标3.1中获得肯定),应可予以肯定。种族平等和多元文化的意识应蕴涵在中心的氛围中。每日应提供来自两个或以上文化的资源,同时在某些时候(但不需每日)应提供最少两种其他文化的物品。教案可用来证明日常活动及庆祝中出现多元的文化。

5.2　儿童每天应可以看到或取用至少三款不同物品(来自五个类别中的最少两类)。

5.3　教案或陈列品必须清楚显示异同。儿童应接收到一个固定的信息,就是所有儿童每天都做相似的事情(如去公园)。须从检视的陈列品或教案中找到两个或更多的例子。

5.4　若观察不到偏见的例子,可提问,如:"当一名儿童表现出对他人有偏见的行为,或说出带种族歧视的话时,你会怎样做?"若答案反映教师小心处理,应可予以肯定,比如她说:不应责备孩子,应

告诉他这样说/或这样做是不恰当/不正确的,然后应为孩子提供
正确的解释或建议较适当的反应。

7.1/7.2　这两个指标评估教师在多大程度上运用活动作为载体,引领
儿童超越简单的认识,进入了解和尊重不同种族及文化的层面。
每个指标须从检视的材料中找到至少三个明显的例子(或三个回
答问题的答案)。

《幼儿学习环境评量表(课程增订本)》(ECERS-E)评分表

中心/学校：_____ 日期：_____ 观察员：_____

观察开始时间：_____ 观察结束时间：_____

读写		

1. 环境中的文字　　　　　1 2 3 4 5 6 7

	Y N		Y N		Y N		Y N
1.1	☐ ☐ D	3.1	☐ ☐ D	5.1	☐ ☐ D	7.1	☐ ☐
1.2	☐ ☐ D	3.2	☐ ☐	5.2	☐ ☐	7.2	☐ ☐
		3.3	☐ ☐ D	5.3	☐ ☐	7.3	☐ ☐

4. 文字的发音　　　　　1 2 3 4 5 6 7

	Y N		Y N		Y N		Y N
1.1	☐ ☐ P Q	3.1	☐ ☐ P Q	5.1	☐ ☐	7.1	☐ ☐ P
		3.2	☐ ☐	5.2	☐ ☐	7.2	☐ ☐ (P)

2. 图书及读写区　　　　　1 2 3 4 5 6 7

	Y N		Y N		Y N		Y N
1.1	☐ ☐	3.1	☐ ☐	5.1	☐ ☐	7.1	☐ ☐
1.2	☐ ☐	3.2	☐ ☐	5.2	☐ ☐	7.2	☐ ☐
		3.3	☐ ☐			7.3	☐ ☐

5. 萌发期书写　　　　　1 2 3 4 5 6 7

	Y N		Y N		Y N		Y N
1.1	☐ ☐	3.1	☐ ☐	5.1	☐ ☐	7.1	☐ ☐
1.2	☐ ☐ D R	3.2	☐ ☐	5.2	☐ ☐	7.2	☐ ☐ D R(P)
		3.3	☐ ☐ D R	5.3	☐ ☐	7.3	☐ ☐ D

3. 教师与儿童一起阅读　　　　　1 2 3 4 5 6 7

	Y N		Y N		Y N		Y N
1.1	☐ ☐ P Q	3.1	☐ ☐ P Q	5.1	☐ ☐	7.1	☐ ☐
		3.2	☐ ☐	5.2	☐ ☐	7.2	☐ ☐ D
						7.3	☐ ☐

6. 说话及聆听　　　　　1 2 3 4 5 6 7

	Y N		Y N		Y N		Y N
1.1	☐ ☐	3.1	☐ ☐	5.1	☐ ☐ (P)	7.1	☐ ☐
1.2	☐ ☐	3.2	☐ ☐	5.2	☐ ☐	7.2	☐ ☐ P
				5.3	☐ ☐	7.3	☐ ☐
						7.4	☐ ☐

数学			
7. 数数及其应用 1 2 3 4 5 6 7		**9a. 数学活动——形状** 1 2 3 4 5 6 7 N A	

7. 数数及其应用 1 2 3 4 5 6 7

    Y N   Y N   Y N   Y N
1.1 □□PDRQ 3.1 □□PDRQ 5.1 □□(P)(D)(R) 7.1 □□
1.2 □□   3.2 □□   5.2 □□   7.2 □□P
                 3.3 □□D   5.3 □□   7.3 □□P
                                               7.4 □□

9a. 数学活动——形状 1 2 3 4 5 6 7 N A

    Y N   Y N   Y N   Y N
1.1 □□PDR   3.1 □□   5.1 □□   7.1 □□(P)(D)(R)
                3.2 □□   5.2 □□   7.2 □□PRD
                3.3 □□PDR   7.3 □□DPR

8. 阅读及表述简单的数字 1 2 3 4 5 6 7

    Y N   Y N   Y N   Y N
1.1 □□PDR 3.1 □□D   5.1 □□(P)(D)(R) 7.1 □□(P)(D)(R)
1.2 □□D   3.2 □□PDR 5.2 □□   7.2 □□DPR
                 3.3 □□

9b. 数学活动——分类、配对及比较 1 2 3 4 5 6 7 N A

    Y N   Y N   Y N   Y N
1.1 □□PDR   3.1 □□   5.1 □□(P)   7.1 □□
                3.2 □□PDR 5.2 □□   7.2 □□
                3.3 □□   5.3 □□   7.3 □□P

科学与环境

10. 自然材料 1 2 3 4 5 6 7

```
      Y N              Y N                  Y N                    Y N
1.1   □ □        3.1   □ □          5.1   □ □ P D      7.1   □ □ (P)(D)
                 3.2   □ □          5.2   □ □          7.2   □ □ D Q
                                    5.3   □ □          7.3   □ □ P D R
```

11. 自然科学区 1 2 3 4 5 6 7

```
      Y N              Y N              Y N              Y N
1.1   □ □        3.1   □ □        5.1   □ □        7.1   □ □
                 3.2   □ □ D      5.2   □ □        7.2   □ □ D
                 3.3   □ □        5.3   □ □        7.3   □ □
                                                  7.4   □ □
```

12a. 科学活动——非生命 1 2 3 4 5 6 7 N A

```
      Y N                  Y N                  Y N                    Y N
1.1   □ □ P D R      3.1   □ □ P D R      5.1   □ □ P D R      7.1   □ □ (P)(D)(R)
                     3.2   □ □            5.2   □ □            7.2   □ □ P D R
                                          5.3   □ □            7.3   □ □
                                                               7.4   □ □
                                                               7.5   □ □
                                                               7.6   □ □
```

12b. 科学活动——生命过程 1 2 3 4 5 6 7 N A

```
      Y N                  Y N                  Y N                    Y N
1.1   □ □ P D R      3.1   □ □ P D R      5.1   □ □ P D R      7.1   □ □ (P)(D)(R)
                     3.2   □ □            5.2   □ □            7.2   □ □ P D R
                     3.3   □ □            5.3   □ □            7.3   □ □
                                                               7.4   □ □
                                                               7.5   □ □
                                                               7.6   □ □
```

12c. 科学活动——食物的准备 1 2 3 4 5 6 7 N A

```
      Y N                    Y N                    Y N                    Y N
1.1   □ □ P D R Q      3.1   □ □ P D R Q      5.1   □ □ P D R Q      7.1   □ □ P
                       3.2   □ □ P D Q        5.2   □ □ P D R Q      7.2   □ □
                       3.3   □ □              5.3   □ □              7.3   □ □
                                              5.4   □ □
```

	多元性

13. 切合个别学习需要的计划　　　1 2 3 4 5 6 7

	Y N			Y N			Y N			Y N	
1.1	□ □	P Q	3.1	□ □	P Q	5.1	□ □	P Q	7.1	□ □	Q P
1.2	□ □	P	3.2	□ □	P	5.2	□ □	P	7.2	□ □	P
1.3	□ □	P	3.3	□ □	R	5.3	□ □	R	7.3	□ □	P R Q
1.4	□ □	R	3.4	□ □		5.4	□ □	(D)	7.4	□ □	P D R

15. 种族平等及意识　　　1 2 3 4 5 6 7

	Y N			Y N			Y N			Y N	
1.1	□ □	D	3.1	□ □	P D R	5.1	□ □	(P)	7.1	□ □	P D R Q
1.2	□ □	D	3.2	□ □	D	5.2	□ □	D	7.2	□ □	P D R Q
						5.3	□ □	P D	7.3	□ □	Q
						5.4	□ □	Q			

14. 性别平等及意识　　　1 2 3 4 5 6 7

	Y N			Y N			Y N			Y N	
1.1	□ □	D	3.1	□ □	D	5.1	□ □	D	7.1	□ □	P Q
1.2	□ □		3.2	□ □		5.2	□ □	(Q)	7.2	□ □	Q
						5.3	□ □	(P)(Q)	7.3	□ □	Q

《幼儿学习环境评量表(课程增订本)》概览

中心/学校_____ 观察1:_____(年)_____(月)_____(日) 观察员:_____

教师/班级_____ 观察2:_____(年)_____(月)_____(日) 观察员:_____

I 读写(1—6)

观察1 观察2

子量表的平均分

1 2 3 4 5 6 7

1. 环境中的文字
2. 图书及读写区
3. 教师与儿童一起阅读
4. 文字的发音
5. 萌发期书写
6. 说话及聆听

II 数学(7—9b)

7. 数数及其应用
8. 阅读及表述简单数字
9a. 数学活动——形状
9b. 数学活动——分类、配对及比较

III 科学与环境(10—12c)

10. 自然材料
11. 自然科学区
12a. 科学活动——非生命
12b. 科学活动——生命过程
12c. 科学活动——食物准备

IV 多元性(13—15)

13. 切合个别学习需要的计划
14. 性别平等及意识
15. 种族平等及意识

子量表平均分

读写
数学
科学与环境
多元性

1 2 3 4 5 6 7

附录 A:ECERS－R(《幼儿学习环境评量表(修订版)》) 的子量表和各项目

空间与设施
1. 室内空间
2. 日常照料、游戏和学习设施
3. 休闲和舒适的设施
4. 室内游戏空间规划
5. 私密空间
6. 儿童陈列品
7. 大肌肉活动空间
8. 大肌肉活动器材

个人日常照料
9. 入园与离园
10. 正餐/点心
11. 午睡/休息
12. 如厕/换尿片
13. 卫生措施
14. 安全措施

语言—推理
15. 图书和图片
16. 鼓励儿童交流
17. 运用语言发展推理技能
18. 语言的非正式运用

活动
19. 小肌肉活动
20. 美术
21. 音乐/律动
22. 积木

活动(续)
23. 沙/水
24. 角色游戏
25. 自然/科学
26. 数学/数字
27. 电视、录影及/或电脑的使用
28. 促进接受多元性

互动
29. 大肌肉活动的管理
30. 儿童的一般管理(不包括大肌肉活动)
31. 纪律
32. 师幼互动
33. 同伴互动

课程结构
34. 日程表
35. 自由游戏
36. 集体活动
37. 残障儿童支援

家长与教师
38. 家长支援
39. 教师个人需要支援
40. 教师专业需要支援
41. 教师的互动与合作
42. 教师督导与评价
43. 专业发展机会

附录 B:《幼儿学习环境评量表(课程增订本)》 (ECERS－E)的信度和效度

　　《幼儿学习环境评量表(课程增订本)》(ECERS－E)是为了特别评价学前教育机构的课程品质(包括教学法)而研发,以配合英国"早期儿童课程"的推行。多层次统计分析显示,在控制了前测、儿童特点、家庭背景等因素后,ECERS－E 所量度的儿童机构教育环境能显著预测儿童入学后的发展(Sylva 等, 2006)。一如"学前教育有效性"(www. eppe. ioe. ac. uk)和"千禧世代研究"(http://www. cls. ioe. ac. uk/studies. asp? section ＝ 000100020001)(Mathers, Sylva & Joshi, 2007)所示,ECERS－E 的确是一个可信、有效的教育品质评价工具,并能够显著预测儿童的认知、语言和社会行为发展。

　　ECERS－E 经过扩展的量表是为"学前教育有效性"研究项目而设计,主要考查教育/课程方面的"品质",而这一点在《幼儿学习环境评量表(修订版)》中评量得较少(Sylva 等, 2006; Soucacou & Sylva, 2010)。通常,新开发的测量工具推出时要进行效度和信度检验(Bryman & Cramer, 1996)。效度指新的工具能否测量它要测量的内容,而不是其他东西。换句话说,如果实施了所有步骤后,工具能准确评估它想要测量的构思或概念,便说明它是有效的。信度指工具的一致性。一致性有两种:第一种看两个或更多观察员在同一天观察时能否打出相同的分数,第二种是看量表中项目之间的相关性如何。增订版的信度和效度如下。

效标效度

　　如果一个工具的评分与另一个公认的、量度相同概念的工具分数非常相近,这个工具便具有效标效度。因此,效标效度追求的是一个理论概念(你想量度的东西)与一套著名的、以前已成功运用的评价工具或程式之间达到一致的状态(Bryman & Cramer, 1996)。在英国,通过对 141 所学前教育机构的研究,《幼儿学习环境评量表(课程增订本)》的效标效度已经获得证实(Sylva 等, 1999; 2006)。修订版和增订版总分之间的相关系数为 0.78,表明这两套评价工具之间具有明显正相关。虽然这两套评量表关注学前教育机构的不同方面,但是它们都测量"品质"这个大体的概念。因此,如果机构在修订版中取得很高的分数,则在增订版中也应取得中等或很高的分数。但是,这两套量表测量的东西还是有区别的,这也就是为什么它们之间的相关系数不是 1.00。如果是 1.00 的话,便表明它们测量的是同一内容。

　　增订版和修订版之间不但相关系数很高,增订版的效标效度也通过与"照顾者互动量表"(CIS)的高度相关得以确立。CIS 是一套用来评价教师与儿童之间互动品质的量表。Sammons 及其同事(2002)指出,《幼儿学习环境评量表(课程增订本)》的总分与 CIS 的两个子量表之间存在明显的中度相关:与"积极关系"子量表 r ＝0.59,与"冷漠"子量表 r ＝ －0.45。增订版和 CIS 的所有子量表之间的相关性处于低到中等的程度,但是"积极关系"这个子量表与增订版所有子量表之间呈现中等相关程度(从 0.45 到 0.58)。

概念预测效度(对儿童发展结果的预测)

预测性概念效度是指量表在多大程度上可以预测使用某些测量工具的得分,而这些测量工具在理论上可推断为与新量表相关。例如,随着时间的推移,高品质教育机构的儿童会比低品质教育机构的儿童取得更大的发展。就增订版来说,教育机构的品质得分与学前教育有效性研究中样本儿童的较大发展相关(3 岁时前测至 5 岁时后测期间的进展)。增订版预测儿童的认知发展比修订版预测 3 000 名儿童的进展为佳。在控制了大量有关儿童、家长、家庭和学前等方面的特征之后,增订版的总分与儿童前阅读、早期数目概念和非言语推理等方面的得分存在显著正相关。读写子量表与早期数目概念和前阅读都存在显著正相关。另外,增订版的数学子量表和多元性子量表都能预测非言语推理。多元性子量表与早期数目概念也存在显著正相关。至于儿童行为的发展结果,愈来愈多的例子证明增订版能够预测独立性/专注力和合作/守规(Sammons 等,2003),尽管在统计层面并未达到 0.05 的显著水平。

为了比较增订版和修订版对预测儿童认知及社会性/行为方面的发展结果谁贡献更大,我们采用了 Tymms、Merrell 及 Henderson(1997) 的方法来计算影响力大小。影响力大小非常重要,因为它能用来比较不同的预测因素。如表 1 所示。

表 1 《幼儿学习环境评量表(修订版)》和《幼儿学习环境评量表(课程增订本)》的总分和子量表得分对认知和社会性/行为发展的影响大小(已控制儿童、家庭和家居环境等因素)(Sylva 等,2006)

	认知发展				社会性/行为发展				
	前阅读	一般数目概念	语言	非言语推理	空间知觉	独立性和专注力	合作和守规	同伴社交	不合群/焦虑
课程增订本									
总分	0.166[a],*	0.163*	0.076	0.108[a]	0.023	0.120*	0.124[#]	0.073	−0.038
读写	0.174*	0.142*	0.059	0.105	−0.028	0.097	0.124[#]	0.077	−0.040
数学	0.127	0.102	0.042	0.142*	−0.041	0.054	0.077	0.090	0.028
科学/环境	0.012	0.105	0.091	0.109[#]	−0.056	0.111[#]	0.079	0.034	−0.059
多元性	0.138[#]	0.165*	0.033	0.191*	−0.018	0.113[#]	0.117[#]	0.021	−0.046

	认知发展				社会性/行为发展				
	前阅读	一般数目概念	语言	非言语推理	空间知觉	独立性和专注力	合作和守规	同伴社交	不合群/焦虑
修订版									
总分	0.085	0.087	0.083	0.042	− 0.044	0.089	0.131*	0.009	− 0.094
空间与设施	0.068	0.008	0.065	0.022	− 0.019	0.009	0.103	− 0.033	− 0.108
个人日常照料	− 0.024	0.028	0.083	− 0.057	0.042	0.055	0.128	0.026	− 0.086
语言—推理	0.104	0.090	0.067	0.053	− 0.108#	0.096	0.148*	0.030	− 0.065
活动	0.015	0.062	0.074	0.062	− 0.065	0.046	0.067	− 0.029	− 0.028
互动	0.080	0.199*	0.053	0.073	− 0.037	0.134*	0.180*	0.116*	− 0.059
课程结构	0.063	0.035	0.041	0.037	− 0.064	0.033	0.064	− 0.018	− 0.049
家长与教师	0.144#	0.014	0.045	0.045	0.008	0.054	0.087	− 0.012	− 0.071

[a]模式不包括转换教育机构的因素；* $p < 0.05$；# $p < 0.08$。

《幼儿学习环境评量表(课程增订本)》和儿童认知发展之间存在显著及中等强度的相关性,表明增订版所测量的重要教育/课程环境因素与儿童发展有关。由此又可见,这个评价萌发期学业能力和社会性/行为发展品质的工具是有效的(Sylva 等,2006)。

修订版似乎能更好地评估与儿童社会性/行为发展相关的内容,而增订版则能更好地评估儿童的认知和"学业"技能。这两套量表以不同的方式预测儿童在学前期的认知和社会性发展,这个事实说明我们测量的是儿童发展的不同方面。如果重视儿童上学初期的学业成就,那么增订版能很好地预测他们的入学准备(在语言、数学和读写能力方面)。但在一个非常重视社会技能的文化背景下,修订版会是个更佳的入学准备的测量工具。

同时效度(教师资历)

效标效度的进一步确立,可以通过研究观察到的品质和教师资历之间的关系。理论上,高质素的教育机构应该拥有较高资历的教师。"千禧世代研究"[Millennium Cohort Study (MCS)]建立了增订版的同时效度(Mathers, Sylva, & Joshi, 2007)。研究人员随机选取了在 MCS 中接受机构集体教育的 3 岁儿童作为样本,接着以修订版、增订版和 CIS 对这些机构进行观察。他们收集了教育机构几个特征的资料,旨在断定哪些特征与高品质相关,以便作出预测。增订版被用来量度读写、数学、科学、多元性等方面的教育品质及环境的整体质素。机构教师的资历很准确地预测了 MCS 中 301 所教育机构的增订版得分(Mathers & Sylva, 2007)。分析显示,在控制了教育机构的一系列特征后(包括机构规模、师生比例和机构类型),教师的平均资历、水平与机构的品质分数显著相关。教师的平均资历与增订版的总分和所有子量表分数都显著相关。表 2 中的标准化 B 系数表示,300 多所教育机构的教师资历,可以预测增订版分数达到什么程度。

表 2 教师平均资历与《幼儿学习环境评量表(课程增订本)》分数之关系

增订版子量表	标准化 B 系数	P 值
增订版总分	0.21	<0.001
读写	0.25	<0.001
数学	0.15	<0.05
科学	0.18	<0.01
多元性	0.13	<0.05

　　MCS 的研究结果显示,《幼儿学习环境评量表(课程增订本)》具有同时效度。教师资历与增订版的读写子量表相关性最大,表示高资历与读写能力的关系,较与课程的其他方面更为密切(Mathers & Sylva, 2007)。

评分员信度

　　"学前教育有效性"研究(Sylva 等,1999)使用来自随机抽取的 25 所教育机构的资料,计算出增订版评分员之间的信度。这 25 所教育机构的资料同样用于修订版的因素分析。英国各地区的信度系数分别被计算出,并以评分员之间一致性的百分比及加权 kappa 系数的方式表示。评分员一致性的百分比为 88.4% 到 97.6%, kappa 系数为 0.83 到 0.97,说明评分员之间高度一致。Mathers 和 Sylva(2007)的研究也同样得出高度一致性的结论。

因素分析与内部一致性

　　在 141 所教育机构进行的增订版因素分析(Sylva 等,2006)显示,有两个因素加起来能解释分数中约 50% 的总方差。第一个因素是课程,第二个因素是多元性。表 3 呈现了对这两个因素构成负荷的项目(负荷量超过 0.6)。

表3 《幼儿学习环境评量表(课程增订本)》的两个因素(N = 141 所教育机构)

因素 1:课程	负荷量	因素 2:多元性	负荷量
环境中的文字	0.684	性别平等	0.763
自然材料	0.683	种族平等	0.702
数数	0.678	图书及读写区	0.643
科学资源	0.656		
说话及聆听	0.649		
文字的发音	0.634		

计算出每个因素的克隆巴赫系数(Cronbach's alpha):因素 1 的数值较高(0.84),因素 2 的数值中等(0.64)。这些数值表明这两个因素具有中高水平的内部一致性。

修订版和课程增订本的验证样本得分

141 所教育机构的修订版平均总分为 4.34(SD = 1.00),增订版为 3.07(SD = 1.00)。前者的分数属"基本至良好"这个水平,后者则属"基本"水平。表4 列出了两套量表的总分和子量表分数。

表4 修订版和课程增订本的验证样本得分(n = 141 所学前教育机构,Sylva 等,2006)

	平均分	标准差
《幼儿学习环境评量表(修订版)》		
1. 空间与设施	4.85	1.04
2. 个人日常照料	3.81	1.36
3. 语言—推理	4.32	1.33

	平均分	标准差
《幼儿学习环境评量表(修订版)》		
4. 活动	3.83	1.16
5. 互动	4.82	1.31
6. 课程结构	4.70	1.47
7. 家长与教师	4.07	1.28
《幼儿学习环境评量表(修订版)》总分	4.34	1.00
《幼儿学习环境评量表(课程增订本)》		
1. 读写	3.96	1.06
2. 数学	2.95	1.19
3. 科学与环境	2.98	1.52
4. 多元性	2.38	1.11
《幼儿学习环境评量表(课程增订本)》总分	3.07	1.01

因国家和文化而异的品质

"品质"的概念不一,它受到各国的课程和文化的影响。人们对儿童发展的重要成果有不同认识,故采用不同的品质评估工具。如果重视入学时的学业成就,那么《幼儿学习环境评量表(课程增订本)》能很好地预测儿童的入学准备。入学准备包括语言、数学技能、早期读写和科学理解。但是,如果重视儿童的社会性发展,那么《幼儿学习环境评量表(修订版)》测量的社会互动可能会更好地预测儿童的入学准备。与修订版最密切相关的社会性发展包括儿童的独立性和合作/守规。

《幼儿学习环境评量表(课程增订本)》研发于英国,虽然它的结构在很大程度上受到美国《幼儿学习环境评量表(修订版)》的影响。其他欧洲国家(如 Rossbach,待发表)都证实了课程增订本的有效性。我们欢迎世界各地采用它来从事研究或专业发展的使用者们与我们一起展开讨论。

参考文献

Audit Commission. (1996). *Counting to five*. London: Author.

Ball, C. (1994), *Start right: the importance of early learning*. London: Royal Society of Arts, Manufacturing and Commerce.

Bredekamp, S., & Copple, C. (Eds.). (1997). *Developmentally Appropriate Practice in early childhood programs*. Washington, DC: National Association for the Education of Young Children.

Bryman, A., & Cramer, D. (1996). *Quantitative data analysis with minitab: A guide for social scientists*. London: Routledge.

Cryer, D., Harms, T., & Riley, C. (2003). *All about the ECERS - R*. Lewisville, NC: Pact House Publishing.

Department of Education and Skills. (1990). *Starting with quality: Report of the committee of inqury into the quality of educational experiences offered to 3 and 4-year-olds* [Rumbold Report]. London: Her Majesty's Stationery Office.

Department for Education and Skills. (2007a). *The early years foundation stage: Setting the standards for learning, development and care for children from birth to five*. Nottingham, U. K.: Author.

Department for Education and Skills. (2007b). *Statutory framework for the early years foundation stage*. Nottingham, U. K.: Author.

Evangelou, M., Sylva, K., Kyriacou, M., Wild, M., & Glenny, G. (2009). *Early years learning and development: literature review*. London: Department for Children, Schools, and Families.

Harms, T., Clifford, R. M., & Cryer, D. (2003). *Infant/toddler environment rating scale-Revised (ITERS - R)*. New York: Teachers College Press.

Harms, T., Clifford, R. M., & Cryer, D. (2005). *Early childhood environment rating scale-Revised (ECERS - R)*. New York: Teachers College Press.

Harms, T., & Cryer, D. (2006). *Video Observations for the ECERS - R*. New York: Teachers College Press.

Harms, T., & Cryer, D., & Clifford, R. M. (2007). *Family child care environment rating scale-Revised (FCCERS - R)*. New York: Teachers College Press.

Harms, T., Jacobs., E. V., & White. D. R. (1996). *School-age care environment rating scale (SACERS)*. New York: Teachers College Press.

Ilsley, B. J. (2000). *The Tamil Nadu early childhood environmental rating scale (TECERS)*. Chennai, India: M. S. Swaminathan Research Foundation.

Mason, J. M., & Stewart, J. P. (1990). Emergent literacy assessment for instructional use in kindergarten. In L. M. Morrow & J. K. Smith(Eds.), *Assessment for instruction in early literacy* (pp. 155 - 175). Englewood Cliffs, NJ: Prentice-Hall.

Mathers, S., & Linskey, F. (Forthcoming). *All About the ECERS - E*.

Mathers, S., Linskey, F., Seddon, J., & Sylva, K. (2007). Using quality rating scales for professional development: experiences from the U. K. *International Journal of Early Years Education*, 15 (3), 261 - 274. Available at http://dx. doi. org/10. 1080/09669760701516959

Mathers, S., & Sylva, K. (2007). *National Evaluation of the Neighbourhood Nurseries Initiative: The Relationship between*

Quality and Children's Behavioural Development [Sure Start Research Report SSU/2007/FR/022]. London: DfES/Department of Educational Studies, University of Oxford.

Mathers, S. , Sylva, K. , & Joshi, H. (2007). *Quality of childcare settings in the Millenium Cohort Study* [DSCF Research report SSU/2008/FR-025]. London: DCSF.

Office for Standards in Education(Ofsted). (2008). *Early years self-evaluation form guidance: Guidance to support using the self-evaluation form to evaluate the quality of registered early years provision and ensure continuous improvement* [Reference No 080103]. London: Author. Available at www. ofsted. gov. uk

Qualification and Curriculum Authority. (2000). *Curriculum guidance for the foundation stage.* London: Qualification and Curriculum Authority Publications.

Qualification and Curriculum Authority & Department for Education and Skills. (2003). *The foundation stage profile.* London: Qualifications and Curriculum Authority Publications.

Rogoff, B. , & Lave, J. (Eds.). (1999). *Everyday cognition: Its development in social context.* Cambridge, MA: Harvard University Press.

Rossbach, H. G. (in preparation). *Using the ECERS-R in German pre-school centers.*

Sammons, P. , Sylva, K. , Melhuish, E. , Siraj-Blatchford, I. , Taggart, B. , & Elliot, K. (2002). *Measuring the impact of pre-school on children's cognitive progress over the pre-school period* [Techical Paper 8a]. London: Institute of Education.

Sammons, P. , Sylva, K. , Melhuish, E. , Siraj-Blatchford, I. , Taggart, B. , & Elliot, K. (2003). *Measuring the impact of pre-school on children's social behavourial development over the pre-school period* [Technical Paper 8b]. London: Institute of Education.

Senechal, M. , Lefevre, J. -A. , Smith-Chant, B. L. , & Colton, K.

V. (2001). On refining theoretical models of emergent literacy: The role of empirical evidence. *Journal of School Psychology*, 39 (5),439-460.

Siraj-Blatchford, I. (2002a). *Final annual evaluation report of the Gamesley Early Excellence Center.* Unpublished report, University of London, Insitute of Education.

Siraj-Blatchford, I. (2002b). *Final annual evaluation report of the Thomas Coram Early Excellence Center.* Unpublished report, University of London, Institute of Education.

Siraj-Blatchford, I. , Sylva, K. , Muttock, S. , Gilden, R. & Bell, D. (2002). *Researching Effective Pedagogy in the Early Years (REPEY) study.* London: DfES Publications.

Siraj-Blatchford, I. , Sylva, K. , Taggart, B. , Sammons, P. , Melhuish, E. C. , & Elliot, K. (2003). *The Effective Provision of Pre-School Education(EPPE) Project: Technical Paper 10-Intensive case studies of practice across the foundation stage* [DfES Research Brief No. RBX 16-03, October 2003]. Nottingham: DfES Publications.

Snow, C. E. (2006). What counts as literacy in early childhood? In K. McCartney & D. Phillips(Eds.), *Blackwell handbook of early childhood development*(pp. 274-294). Malden, MA: Blackwell.

Soucacou, E. , & Sylva, K. (2010). Developing observation instruments and arriving at inter-rater reliability for a range of contexts and raters: The early childhood environment rating scales. In G. Walford, E. Tucker. & M. Viswanathan (Eds.), *The Sage handbook of mearsurement* (pp. 61-85). London: Sage Publications.

Storch, S. A. & Whitehurst, G. J. (2001). The role of family and home in the literacy development of children from low-income backgrounds. *New Directions For Child and Adolescent Development*, 92,53-71.

Sulzby, E. , & Teale, W. (1991). Emergent literacy. In R. Barr,

M. Kamil, P. Mosenthal, & P. D. Pearson(Eds), *Handbook of reading research*(Vol. 2, pp. 727 - 758). New York: Longman.

Sylva, K., Melhuish, E., Sammons, P., Siraj-Blatchford, I., & Taggart, B. (2004). *The Effective Provision of Pre-school Education (EPPE) project: Final report* [A longitudinal study funded by the DfES 1997 - 2003]. Nottingham: Department for Children, Schools and Families.

Sylva, K., Melhuish, E., Sammons, P., Siraj-Blatchford, I., & Taggart, B. (2008). *Final report from the primary phase: Pre-school, school and family influences on children's development during Key Stage 2 (age 7 - 11)* [DCSF RR 061]. Nottingham: Department for Children, Schools and Families.

Sylva, K., Melhuish, E., Sammons, P., Siraj-Blatchford, I., & Taggart, B. (2010). *Early childhood matters*. New York and London: Routledge Taylor Francis Group.

Sylva, K., Siraj-Blatchford, I., Melhuish, E., Sammons, P., & Taggart, B., Evans, E., Dobson, A., Jeavons, M., Lewis, K., Morahan, M., & Sadler, S. (1999). *Characteristics of the centers in the EPPE sample: Observational profiles*(Technical Paper 6). London: Insitute of Education.

Sylva, K., Siraj-Blatchford, I., Taggart, B., Sammons, P., Melhuish, E., Elliot, K., & Totsika, V., (2006). Capturing quality in early childhood through environmental rating scales. *Early Childhood Research Quarterly*, *21*, 76 - 92.

Tietze, W., Cryer, D., Bairrao, J., Palacios, J., & Wetzel, G. (1996). Comparisions of observed process quality of early child care and education in five countries. *Early Childhood Research Quarterly*, *11*(4), 447 - 475.

Tymms, P., Merrell, C., & Henderson, B. (1997). The first year at school: A quantitative investigation of the attainment and progress of pupils. *Educational Research and Evaluation*, *3*(2), 101 - 118.

Whitehurst, G. J., & Lonigan, C. J. (1998). Child development and emergent literacy. *Child Development*, *69*(3), 848 - 872.

Wood, D., Bruner, J. S., & Ross, G. (1976). The role of tutoring in problem solving. *Journal of Child Psychology and Pyschiatry*, *17*(2), 89 - 100.

Yan Yan L., & Yuejuan, P. (2008). Development and validation of kindergarten environment rating scale. *International Journal of Early Years Education*, *16*(2), 101 - 114.

First Published by Teachers College Press, 1234 Amsterdam Avenue, New York, NY10027

太平洋区幼儿教育研究学会授权出版

上海市版权局著作权合同登记　图字:09－2014－250 号